D0588026

Osez...

les conseils d'un gay pour faire l'amour à un homme

dans la même collection

Osez tout savoir sur la fellation, Dino
Osez l'échangisme, Hélène Barbe
Osez faire l'amour partout sauf dans un lit, Marc Dannam
Osez les jeux érotiques, Dominique Saint-Lambert
Osez le sexe sur Internet, Thomas Perrin
Osez tout savoir sur le SM, Gala Fur
Osez la fessée, Italo Baccardi

du même auteur

Stop à l'hétéronorme,
contribution au déclin de l'hétérosexualité, Blanche, à paraître
Sexe guide, Blanche, 2004
Guide du sexe gay, Blanche, 2003
Serial fucker, journal d'un barebacker, Blanche, 2003
Le Maître des amours, Balland, 2000
Je bande donc je suis, Balland, 1999 ; Bibliothèque Blanche, 2004

Illustration de couverture : Arthur de Pins
Conception graphique : Carole Peclers, Monique Plessis

© Éditions La Musardine, 2005.
122 rue du Chemin-Vert
75 011 Paris

ISBN : 2-84271-204 8

Erik Rémès

Osez...

les conseils d'un gay pour faire l'amour à un homme

La Musardine

les gays, maîtres ès sexualités

Les gays, grands amateurs de sexe devant l'Éternel, sont souvent des maîtres ès sexualités. Mais qu'a donc la sexualité gay de si particulier ? En un mot : tout est « plus » : plus de partenaires, voire beaucoup plus de partenaires qu'un hétéro *lambda* ; des pratiques plus nombreuses… Là où un hétéro se cantonne au basique « fellation-cunni-coït », même quelquefois au simple coït vaginal, les gays ont élaboré une grammaire sexuelle des plus sophistiquées : jeux sadomasochistes en tout genre, utilisation de zones érogènes réinventées (seins, testicules, anus pour ne citer qu'elles), fessée, bondage, jeux de maîtres et esclaves, pratiques hard, fist-fucking, etc. On notera aussi le recours aux jeux de modification du corps : tatouages, piercings, dont les gays ont été le vecteur de visibilité et de mode le plus important. Plus d'objets sexuels également. Pinces à seins, cockrings, pompes, sans parler des godes dont nous sommes des plus friands. C'est bien dans les sex-shops gays qu'on trouve les dimensions les plus indécentes. Et s'il y a un domaine que les gays connaissent sur le bout des ongles, c'est bien l'anus, territoire méconnu de la plupart des hétéros (moins d'un tiers recourt à la sodomie). Les gays savent que l'anus est l'organe pansexuel par excellence : homme, femme, hétéro, homo, bi possèdent un anus universel. Sans parler de la possibilité que les homos ont de jouer avec les genres : masculin-féminin, actif-passif, dominant-dominé. Il semble que les gays aient mieux intégré la révolution sexuelle. Ils ont justement cette capacité à être alternativement actif ou passif, c'est-à-dire pénétrant ou pénétré. Ainsi, les homos ont parfois fait un travail mental sur eux-mêmes, d'acceptation de leur propre passivité et féminité. Ce travail est souvent très long et douloureux, tant le poids des interdits pèse encore dans nos sociétés machistes sur la passivité de l'homme. La fidélité, concept matrimonial s'il en est, n'est pas non plus forcément la tasse de thé d'un grand nombre de gays : multipartenaire en amour, *versus* monogamie hétérote. On se demande bien d'ailleurs ce que feront les homos de l'impératif de fidélité lié au mariage. L'imploser ?

Les gays savent généralement ce qu'ils veulent. Point de tergiversation, place à une sexualité désaliénée. Ils en ont en tout cas la possibilité. Oui, nous avons tous la possibilité d'être libre vis-à-vis de notre sexualité. Bon voyage.

intro-
duction,
déjà...

Ce petit guide du sexe explique de manière simple, libre et décomplexée les mille et une façons de faire l'amour à un homme. Les gays aiment le sexe. C'est pour vous faire profiter de leurs connaissances que ce guide a été écrit. Il offre une vision déculpabilisée, irréligieuses, non moralisatrice, non médicale et non psychanalytique du sexe. Il propose des jeux érotiques variés, jubilatoires et harmonieux. Il s'adresse à tous : hétéros, bis, gays, lesbiennes, trans, du monopartenaire au multipartenaire, du plus soft au plus hard. Pour la plupart, nos parents et éducateurs ont peu, pas ou mal parlé de sexualité, et peu, pas ou mal répondu à nos questions. Ces mêmes personnes ont encore moins évoqué le sexe extrême si ce n'est en termes réducteurs, voire discriminants.

Comment faire une bonne fellation ? Comment sodomiser sans faire mal ? Comment doigter mon mec, lui masturber la prostate ? Comment goder ? Qu'est-ce que l'éjaculation féminine et le point G ? Comment fister sans faire mal ? Comment assumer mes penchants SM ? Autant de questions sans réponses pour nombre d'entre nous. Pourtant, le sexe est autant affaire d'imagination, de sensualité et d'amour que de savoir-faire, de méthode et de technique. L'amour et la sexualité sont des champs de l'humain encore vierges. Pourtant, ils sont des voies d'accès privilégié à une maïeutique individuelle. La sexualité permet souvent de se découvrir, soi et son âme.

À l'heure où les notions de genre (masculin-féminin, actif-passif, hétéro-homo, dominant-dominé, etc...) se diluent, le propos de cet ouvrage se veut volontairement pansexuel. Ce livre expose une vision libertaire de la sexualité, une sexualité libre, mouvante quant à son genre et son objet. Ce livre prend acte de l'évanescence du système patriarcal et phallocratique occidental, celui du mâle dominant, pénétrant et sûr de lui, reléguant la femme et l'homosexuel au second rang. Nous reconnaissons également la femme dans son rôle actif et directif dans le rapport sexuel. Ce livre est féministe. Il vise l'égalité des sexes et des genres. Nous nous attaquerons aussi au paradigme sexuel masculin, basé sur le seul pénis et l'archaïque pénétration, qui en oublie d'autres zones érogènes potentiellement jouissives comme le clitoris, le point G, l'anus et la prostate.

Qu'en est-il de cette prétendue « révolution sexuelle » ? Les années soixante-dix nous avaient promis monts de Vénus et merveilles phalliques en matière de sexe. Nous ferions, depuis, « l'amour et plus la guerre ». Il serait « interdit d'interdire » et l'on devrait « jouir sans entraves ». Que nenni ! Les statistiques actuelles de la sexualité laissent sceptiques quant à une réelle évolution des mœurs et jeux sexuels. Comme le dit Maryse Jaspard (auteure de *La Sexualité en France*, La Découverte, 1997) : « En cette fin de siècle, comme trente ans auparavant, prédomine une sexualité conjugale qui s'apaise avec la longévité du couple. Aucune évolution tangible qui indiquerait une libération sexuelle. Ainsi, la "libération" sexuelle semble aller plutôt dans le sens d'une intériorisation des normes sociales par l'individu. Certes la sexualité s'est échappée du carcan qui l'enserrait, mais plus présente, elle est aussi plus sociabilisée, standardisée. En outre, le déferlement visuel et langagier du sexe qui caractérise la fin de ce deuxième millénaire engendre un grand décalage entre pratiques et représentations : la libération sexuelle apparaît, plus que jamais, comme un des grands mythes du XXe siècle. »

Peut-on se satisfaire d'une sexualité qui ne prendrait comme but sexuel normal que l'attirance d'un individu pour les organes génitaux du sexe opposé au sien ? Le mouvement de libéralisation des humains et de leur sexualité impulsé notamment par Freud, Reich, Kinsey, Master et Johnson, doit être poursuivi. Et la liberté passe aussi par la sexualité. Michel Foucault l'a démontré dans son archéologie des discours sur la sexualité : le sexe est la cause et la conséquence de tous les phénomènes de notre vie comme il commande l'ensemble de l'existence sociale. On se doit donc aujourd'hui d'explorer de nouvelles voies ; de redonner toute leur place aux jeux, il y a peu encore très décriés ; de se hasarder sur des chemins déviants de satisfaction sexuelle ; de se mettre face à tous ses désirs ; d'expérimenter d'autres organes comme source de satisfaction ; de (re)découvrir toutes les potentialités érogènes de n'importe quelle partie du corps. C'est dans le dessein d'accompagner ce mouvement de liberté que ce guide a été écrit.

Les techniques exposées dans ce livre n'auront de valeur, « d'âme », que si elles se font dans l'amour, le don total de soi et le respect de son partenaire. Elles ne sont pas à reproduire comme des chorégraphies absurdes et mécanisées. Chacun devra plonger en lui-même pour y retrouver des émotions intenses et denses, ces bouleversements que seul l'amour peut encore aujourd'hui engendrer en nous. Chacun pourra les appliquer pour mieux communiquer avec son partenaire et son corps. Brûler d'amour, aimer passionnément son partenaire, le lui prouver, voilà ce que pourrait être une sexualité vraie.

La sexualité est un outil de liberté. Certains pratiquent la sexualité avec une seule personne, parce qu'ils ont appris à la connaître. C'est avec elle qu'ils construiront un univers de dialogues, de sentiments et d'entraide. D'autres, stakhanovistes, collectionneront les rencontres ou multiplieront les passes. À chacun de choisir sa voie dans le respect des autres et de lui-même.

1. l'homme, cet inconnu

Comment lui parler ?

Parler du sexe reste une tâche difficile. La sexualité n'est pas une activité parmi d'autres. Elle demeure encore trop souvent taboue. Pourtant, la sexualité devrait être un terrain de recherche ordinaire, un art et une science, un objet d'expérience ou d'expérimentation, un sujet de discours. La loi du silence règne. Nous devrions tous verbaliser nos envies, plaisirs et jouissances, et parler de nos orgasmes. Les décrire en détail représente en effet un exercice très instructif sur la manière dont la sexualité est vécue.

Timidité, fausse pudeur, dégoût, inhibition empêchent, hélas ! trop fréquemment, la communication sexuelle et amoureuse.

Les hommes adorent souvent les grossièretés. La coprolalie est la disposition à utiliser des mots obscènes ou scatologiques lors de rapports sexuels. C'est l'action de s'exciter ou d'exciter son partenaire en utilisant des mots cochons.

Cette pratique verbale demande une relative liberté sexuelle afin d'admettre à son encontre des injures ou bien une grande intimité entre les partenaires. La forte excitation que l'on peut ressentir lors d'un rapport fiévreux et endiablé amènera tout naturellement deux amants à utiliser certaines grossièretés librement consenties. Il ne faut y voir aucun avilissement particulier, mais plutôt l'expression d'un amour ardent se défaisant d'un logos habituellement réprimé. Pour ne pas choquer son partenaire, il peut être utile de négocier au préalable l'utilisation d'un tel jargon. La coprolalie peut-être partagée ou non – certaines préfèrent juste entendre des mots orduriers sans en prononcer eux-mêmes, tandis que d'autres se régaleront d'échanges verbaux épicés. Elle permet de vivre par la parole certains fantasmes difficilement réalisables ou contrevenant aux règles établies par un couple.

La sexualité est communication. La sexualité et l'amour sont parmi les derniers espaces de liberté de notre monde actuel régi par les lois du marché et de l'argent. À l'heure ou seul compte le pouvoir (financier, moral, hiérarchique, etc.) que l'on peut prendre sur les autres, le sexe et l'amour libèrent. Quand notre corps est en émoi, les barrières de la conscience et de la raison sont dépassées. L'amour rend fou. Et tant mieux. Il permet de dépasser sa timidité et la peur que nous a inculquée la société. Cet amour qui guide notre vie, ce désir incarné, ce sentiment toujours atteint et éclipsé, fruit de nos entrailles, moteur impitoyable de notre chair, de notre être et de la vie. Les corps se suivent et se ressemblent, s'enchâssent, s'assemblent, s'emboîtent et s'encastrent. Et se lassent. Un désir en chute perpétuelle qui se casse et se tue à chaque rencontre. Puis renaît et bande.

La sexualité comme don de soi. Le langage du corps et des émotions est certainement le plus troublant, sa grammaire la plus pure, ses signes les plus émouvants. Il faut poser ici l'amour et la tendresse comme prolégomènes à toutes sexualités. La sexualité trouve sa raison d'être dans le romantisme et dans l'amour. Pour Master et Johnson, bien qu'une grande partie de la population soit hétérosexuelle, l'hétérosexualité n'est pas une garantie de bonheur sexuel. Il y a, par exemple, ces questions lancinantes de techniques sexuelles. Il y a aussi certaines règles de conduite sexuelle, qui sont en partie liées à nos valeurs personnelles et culturelles. Un livre sur les techniques sexuelles risque de ressembler à un mode d'emploi rébarbatif. Il ne suffit pas toujours de faire telles choses à tel moment pour parvenir à l'extase. Heureusement, le sexe implique bien plus qu'un accouplement mécanique. Il rentre en jeu des émotions, des sentiments, le désir. Il faut donc insister sur la qualité de la relation. La sexualité ne signifie pas forcément une relation stable entre partenaires fixes, mais elle dépend, en tout cas, d'une communication efficace entre ces partenaires.

Le phallus n'est pas le seul outil de communication du mâle occidental. Pas plus que l'agressivité ou les scènes de ménage. Sans tomber dans le spiritualisme ou le tantrisme, une attitude mentale positive est primordiale. Il est recommandé d'être au calme, de se parler longuement. Les partenaires se confient des choses, se font des reproches s'il y a lieu. Ils se regardent. Chacun doit se rendre compte de qui est l'autre, se laisser remplir par l'âme de l'autre. Car avant de « faire l'amour à un trou ou à un phallus », on parle avec une âme. La sexualité est l'interpénétration de deux âmes.

Les ennemis du sexe

De nombreux facteurs tuent la sexualité :
• **Le manque de temps** en est un. La vie dans nos sociétés se résume à une course folle contre une montre un peu trop molle. Avec le manque de temps, les rapports sexuels s'espacent et sont de moins en moins satisfaisants. Le couple s'éloigne et se perd. L'important est donc de maîtriser son emploi du temps et de choisir ses priorités.
Si vous êtes débordée, réduisez la voilure de vos ambitions dévorantes ou alors ne vous encombrez pas inutilement d'un mari que, de toute façon, vous ne satisferez pas. Un mari (ou une femme) n'est pas un animal domestique.
• **La routine**. Après quelques années de couple, la sexualité devient monotone, répétitive et sans imagination.

Mais créativité, humour et énergie peuvent l'empêcher de s'installer.

• **La performance**. Nos sociétés capitalistes et libérales développent un culte de la performance qui se retrouve, hélas !, aussi dans la sexualité. Les érections doivent être irréprochables et les jouissances forcément multiorgasmiques. Le culte de la performance tue le désir et la sexualité et devient une source majeure d'angoisses quotidiennes.

Se défaire des normes. Certains types de comportements sexuels sont encore considérés comme des perversions ou des aberrations. Ces étiquettes conduisent inéluctablement à la stigmatisation et sont appliquées de façon assez arbitraire, puisque basées sur la notion sous-jacente de norme culturelle. Pour se démarquer de cette vision moralisatrice et normative, nous utilisons dans ce guide, les termes « pratique » ou « jeu sexuel ».

Parler avec les mots et le corps. Il ne faut pas hésiter à expliciter verbalement ce que l'on exprime par des caresses. Les hommes, s'ils font l'effort de se dégrossir en travaillant sur eux-mêmes, sont aussi capables d'être sensuels, eh oui ! Les femmes, ces Rolls Royce du sexe (vis-à-vis de ces charrues à roues carrées que sont les hommes), connaissent mieux ce langage. Lorsque vous parlez de sexualité, donnez un maximum de détails.

Érotisme et frustration. Dans nos sociétés de consommation où tout s'achète et tout se vend, on a tendance à croire que le sexe est un produit courant. Pourtant, rien ne vaut une certaine dose de frustration pour maintenir son excitation. L'orgasme et l'éjaculation ne devraient pas être le but en soi d'un rapport. Savoir retarder ou éviter l'orgasme peut être un exercice très enrichissant. Cela peut aider les partenaires à se concentrer sur l'essence même de la relation, la développer et la prolonger au maximum. La communication devient ainsi communion.

Lorsqu'on devient adulte, la sensualité cesse d'être spontanée. L'adulte est obligé de penser sa sensualité, de la planifier, de la gérer comme on gère une entreprise. Au début d'une rencontre, la communication est spontanée. Mais après quelque temps, c'est aux deux protagonistes qu'il appartient de maintenir ce processus. Ils doivent continuer la construction de leur couple, de façon lucide et concertée. Sinon, la communication s'estompera, ainsi que le plaisir que l'on en retire, et ce sera la mort du couple. C'est tous les jours qu'on devrait dire à son partenaire qu'on l'aime.

La communication doit être bidirectionnelle. On ne doit pas réduire l'autre à une chose qui devrait réagir aux stimuli comme un chien pavlovien. La mémoire peut aussi tuer la libido. Il ne faut pas chercher à revivre des émotions passées. Il s'agit de se défaire des sensations de la petite enfance : vaste programme. Le langage du corps peut aussi être dangereux. Le regard d'une forte personnalité peut ébranler une personne faible. Il faut aussi, parfois, apprendre à refuser une communication dangereuse, se fermer, se protéger. Inversement, une personne immature ou faible avec qui quelqu'un refuse de communiquer pourra devenir violente.

Le mot « intimité » vient du latin « intimus », qui veut dire le plus intérieur ou le plus profond. On définit l'intimité par l'état dans lequel deux personnes qui s'aiment partagent aussi librement que possible des sentiments, des idées et des gestes. Savoir communiquer est donc indispensable à un couple. Pourtant, très souvent, personne ne nous a appris à exprimer nos émotions.

L'amour ne devrait pas être un combat entre deux personnes. Il est préférable de construire une entité autre, supérieure aux deux partenaires ; une unité propre à l'intérieur de laquelle chacun peut s'assumer pleinement, être lui-même sans affrontements. La communication sert à harmoniser les envies des individus, les rendre compatibles. Un individu seul se doit également de communiquer avec lui-même pour harmoniser ses propres désirs, se rendre compte de leur existence et apprendre à agir en fonction. Ainsi, le sujet se découvre et se construit. Le même processus a lieu au sein d'un couple : la communication permet une réunion des désirs des partenaires, la construction d'une nature unique et bicéphale. L'énergie au sein d'une telle entité est supérieure à l'énergie d'un individu seul.

Pour communiquer, il s'agit de se défaire de nos modes de pensée habituels, nos fantômes. Éviter d'être moqueur pour se défendre par peur, ne pas être parano et chercher la faute chez l'autre, ne pas chercher le partenaire idéal qui n'existera jamais, tenter de se défaire des rôles habituels de soumission et domination, ne pas prendre l'autre, le jeter puis le reprendre dans un mouvement perpétuel, ne pas reproduire inlassablement les mêmes schémas névrotiques. Là encore, vaste programme ! Programme de toute une vie, même. Une psychothérapie, d'inspiration psychanalytique ou pas, pourra parfois s'avérer indispensable et salvatrice.

Connaître le corps de l'homme

Pour bien faire l'amour à un homme, il est nécessaire de connaître son corps. Comment, par exemple, masturber la prostate de son ami sans en connaître les spécificités anatomiques ? On n'est jamais assez observateur et connaisseur du corps de son partenaire. Les organes génitaux sont aussi divers que les visages humains. Ainsi, la forme et la taille des petites lèvres, comme la distance entre le clitoris, l'urètre et le vagin varient selon les femmes. Connaître le corps de son partenaire, c'est bien, faire connaître son corps, c'est mieux. Il s'agit de donner à son ou ses partenaires les clefs de ses zones érogènes.

Dans nos sociétés, les zones érogènes se réduisent

souvent aux seuls organes sexuels : pénis, vagin et seins féminins. Quelle sexualité réductrice ! Tout autant pour la femme que pour l'homme, la sexualité normative est ablation de multiples zones de plaisirs. On se croit obligé de réduire la surface érotique aux organes sexuels reproductifs et à privilégier le pénis comme unique centre mécanique de production de l'impulsion sexuelle. Qu'en est-il de la jouissance prostatique des hommes, de l'éjaculation prostatique, du travail des seins masculins, de la forte « érogénéïté » de l'anus ?

SES ZONES ÉROGÈNES

Les zones érogènes, ainsi nommées d'après « Éros », le dieu de l'amour, et « gène », « qui engendre », sont des points qui, stimulés, font naître le désir et le plaisir. Les organes génitaux sont appelés zones érogènes primaires. Il en existe d'autres, appelés secondaires comme les aisselles, le pubis ou les pieds. Le corps tout entier est une zone érogène formidable.

Découvrez les zones érogènes de votre homme : creux du coude, genoux, nombril, seins, oreilles, nuque, menton, poignets, plantes des pieds, mamelons, etc. Chaque être est différent et possède ses zones érogènes spécifiques avec leur sensibilité propre. Celles-ci doivent souvent être cartographiées et travaillées pour atteindre leur potentiel libidinal. Ainsi, pour les plantes des pieds, par exemple, il est préférable de les appréhender d'abord de manière globale et ferme enfin d'éviter les chatouilles. Une fois sensibilisée par vos caresses directes, la plante des pieds sera à même d'être frôlée sans faire pisser de rire votre partenaire. À vous donc d'établir la topographie érogène de votre corps afin de mieux guider votre amante ou amant.

Malgré ce que l'on pourrait croire au premier abord, le mâle ne se réduit pas au seul pénis, non, non. Pourtant ce « phallus sur patte » (comme disent les gentilles féministes) oublie parfois qu'il possède également un corps, un anus très jouissif, une prostate orgasmique et d'autres zones érogènes comme les seins ou le scrotum. Mais également une sensibilité et un cerveau, ben oui. Il serait temps, pour notre plus grand plaisir, que nous découvrions ou redécouvrions ces parties du corps masculin et ne réduisions pas le schéma corporel au seul pénis.

GOÛT, ODORAT ET PHÉROMONES

L'odorat et le goût sont des sens importants chez les hommes. Ils sont très liés entre eux. Ces sens sont en étroite liaison avec le système nerveux. Les phéromones sont des substances olfactives très excitantes pour les hommes. Elles n'ont pas d'odeur particulière, mais sont perçues directement par l'hypothalamus. Ce sont des acides aliphatiques à chaîne courte que l'on trouve notamment dans les sécrétions sexuelles et qui peuvent provoquer une forte excitation. Dans nos sociétés hygiénistes et médicalisées, le culte de la propreté et de la chasse aux odeurs atteint un paroxysme. On assiste à une véritable chasse aux odeurs. Pourtant, quel pire tue-l'amour qu'un corps sentant trop fort le déodorant ! Car, pour certains, l'odeur de transpiration peut être très érotique.

SON DÉSIR SEXUEL

Dans le processus d'excitation sexuelle, on note trois phases différentes :

• Le désir sexuel
• La phase de l'excitation
• La phase de l'orgasme

Le corps réagit de plusieurs façons lorsqu'il se trouve dans des conditions d'excitation sexuelle. L'érection du pénis n'en est pas, loin s'en faut, le seul indice. Ces changements se font progressivement et de manière continue. On dénombre trois composantes principales à l'excitation sexuelle : physiologique, psychologique et relationnelle.

Composante physiologique. Dans le cerveau, le lobe limbique est le centre du désir sexuel. Il communique et interagit avec d'autres centres du cerveau comme celui de la mémoire ou du plaisir. Le désir sexuel est étroitement lié au bon fonctionnement du cerveau. Il comporte également un aspect hormonal capital. Chez l'homme, le facteur primordial du désir est la testostérone. Si cette hormone vient à manquer, on constate une diminution de la fréquence des relations sexuelles et une baisse du désir. Diminuent également la capacité d'avoir des fantasmes sexuels, celle d'avoir une érection et celle d'éjaculer. Une autre hormone, la prolactine, que l'on retrouve chez les deux sexes, lorsqu'elle est présente en trop grande quantité, diminue le désir. Tout ce qui peut affecter le taux de ces hormones peut affecter le désir sexuel.

Composante psychologique. La composante psychologique est primordiale dans le désir sexuel. Elle regroupe divers éléments tels que son éducation familiale ou morale, son aptitude à fantasmer, son stress, sa capacité à se détendre et se relaxer, son type de personnalité, la disposition à l'intimité, etc.

Composante relationnelle. La composante relationnelle du désir sexuel est, elle aussi, capitale. Dans un couple stable ou récent, le degré d'amour, la capacité à communiquer et la complicité vont influencer l'appétence érotique.

SON EXCITATION

La phase de l'excitation est caractérisée par la vasodilatation des organes génitaux, l'érection du pénis et du clitoris et la lubrification du vagin. Lorsqu'il y a stimulation physique ou psychique, l'excitation commence. Ainsi, les terminaisons nerveuses envoient l'information au cerveau qui pourra répondre en donnant l'ordre au vagin de se lubrifier. De même, pour le pénis de l'homme, les terminaisons nerveuses de la peau du pénis envoient un message vers le cerveau qui renverra l'ordre au corps caverneux du pénis de rentrer en érection.

Le phénomène le plus évident est l'érection du pénis. On note aussi des changements au niveau des testicules qui peuvent augmenter de volume et s'élever pour se rapprocher du bassin. Chez certains hommes, le méat urétral laisse filtrer quelques gouttes de lubrifiant des glandes de Cooper : le liquide pré-spermatique. On remarque également une augmentation de la tension musculaire, du rythme cardiaque et du rythme de la respiration. On peut être excité et ne pas avoir d'érection. Celle-ci ne dure pas forcément jusqu'à l'orgasme. Il est possible d'éjaculer sans orgasmes et inversement de jouir sans éjaculer. Les sexologues ont montré que le désir est tout à fait indépendant de l'érection. L'homme n'est pas une machine qui bande sur commande.

On peut avoir une érection sans avoir envie de faire l'amour et, au contraire, avoir une envie folle de faire l'amour et ne pas pouvoir bander. L'excitation est un phénomène interne, distinct de l'érection. Lorsque le sexe est bien plus dur le matin que lors des rapports, il faut se poser quelques questions ou consulter un spécialiste. De très nombreux problèmes affectent les érections et leur qualité : fatigue, stress, dépression ou manque d'activités sexuelles ; mais aussi diabète, alcool, nicotine, stimulants, antidépresseurs, antiallergiques et médicaments contre l'hypertension ou les ulcères. Avec l'âge également, il est fréquent qu'un homme ait besoin de davantage de stimulation pour entrer en érection et la conserver.

SES ORGASMES

L'orgasme se distingue par le plus haut point des tensions sexuelles et par le début de leur relâchement. C'est à ce moment que se produit le plaisir sexuel, plus ou moins intense, et des contractions involontaires de certains organes pelviens à 0,8 secondes. Cette période peut être très violente, mais extrêmement rapide : 5 à 15 secondes. Le cerveau humain reçoit des stimuli sexuels du corps, auquel il répond. Le cerveau peut répondre à une pensée (imagination sexuelle), aux stimuli visuels (face à une nudité), à la stimulation auditive (la voix), aux stimuli olfactifs (l'odeur du corps), et au goût (le goût d'un corps), ou être excité par les attouchements. Tandis que l'esprit et le corps sont capables d'éprouver une excitation séparément, ils ne peuvent pas éprouver l'orgasme l'un sans l'autre. L'orgasme exige que l'esprit et le corps travaillent ensemble. Toutes les stimulations sexuelles peuvent provenir de l'un ou de l'autre, mais l'orgasme a lieu grâce aux deux.

Le visage peut se crisper jusqu'à exprimer de la douleur, les yeux se révulsent, les mâchoires se serrent, le corps tout entier se convulse. Hommes et femmes ne vivent pas de manière identique l'orgasme. Il semble que la jouissance féminine soit plus intense et volcanique que celle de l'homme. La sexualité féminine est plus complexe, subtile et cérébrale que celle de l'homme qui ne montre souvent que ses aspects les plus bestiaux, possessifs ou agressifs. La virilité se définit encore trop souvent par la possessivité et la féminité par le désir d'être aimé passionnément.

Après l'orgasme, tous les changements qui se sont produits dans le corps durant la phase d'excitation et durant la phase de l'orgasme vont disparaître plus ou moins rapidement pour revenir à l'état initial. L'orgasme peut s'accompagner de sensations fortes, voire violentes, pouvant entraîner de courtes pertes de conscience. Ainsi l'appelle-t-on la « petite mort ». Il peut s'atteindre de plusieurs manières : masturbation, caresses des zones sensibles variant suivant les individus ou coït. On parle rarement de ses orgasmes à son partenaire. Pourtant, les décrire en détail est un exercice très instructif sur la manière dont on vit et perçoit sa sexualité. Un orgasme plus ou moins fort selon les individus accompagne l'éjaculation. Certains ne montreront aucun signe de leur jouissance, resteront stoïques tandis que d'autres, plus expansifs, crieront, voire hurleront au loup, le corps tendu comme par la rage et traversé de violents spasmes. Il n'existe pas de réactions « types » ou « normales » à l'orgasme. Chacun suivant sa constitution mentale et physique exprimera plus ou moins fortement cet instant. Il est à noter toutefois qu'une grande inhibition psychologique est un frein à l'expression et au ressenti de l'orgasme et que la manifestation de ses sensations (comme celle de ses sentiments amoureux ou autres) fait l'objet d'un long apprentissage mental pour peu que l'on veuille ou puisse faire cette démarche. Les causes du manque d'orgasme sont principalement psychologiques, relationnelles, plus rarement organiques. Ainsi retrouvons-nous souvent parmi les causes : la difficulté à s'abandonner, la peur de perdre le contrôle, la peur de l'intimité, la peur d'être entendu, une éducation négative face à la sexualité, un conflit avec le partenaire, une stimulation insuffisante ou inadéquate...

Pour en finir avec la dichotomie actif / passif

Les hommes qui doivent être actifs et entreprenants à longueur de journée adorent se laisser aller et diriger. Attention toutefois à n'être pas trop directive avec certains hommes qui pourront perdre tous leurs moyens (l'image de la « maman castratrice »…).

La représentation de soi ne peut se faire en dehors du sexe auquel nous appartenons. L'être humain est une abstraction, seuls existent des hommes et des femmes. Plus encore, on ne naît pas homme ou femme, on le devient. Cela impliquant un long processus d'imitation, d'éducation, d'apprentissage, de conditionnement… et patati et patata, dans la formation de l'identité sexuelle. L'identité se modèle à partir des représentations intériorisées, des attentes des autres sur la façon dont l'individu doit penser et se comporter comme être sexué. La différenciation sexuelle est une injonction sociale. Elle existe partout dans le monde. Dans presque tous les cas, elle implique une domination des femmes par les hommes, des homos par les hétéros, et des pénétrés par les pénétrants. Historiquement, la sexualité a été l'expression du pouvoir des hommes sur les femmes, des forts sur les faibles, des hétéros sur les homos. Or, on ne peut plus, aujourd'hui, continuer à envisager la sexualité d'un point de vue exclusivement masculin, actif et pénétrant. Il faut arriver à créer un espace physique et psychique pour les sexualités féminines et la féminisation des hommes.

On associe toujours à tort l'activité à la masculinité et la passivité avec la féminité. Généralement, on attribue à un caractère psychologique une identité masculine ou féminine. On parle d'une attitude virile ou d'un comportement féminin ou passif. Victimes de l'archéo-dichotomie masculin/féminin, on utilise le mot « viril » dans le sens d'actif et le mot « féminin » dans le sens de passif. Dichotomie que l'on retrouve déjà dans les cellules sexuelles originelles. Le spermatozoïde est mobile, « actif » et se déplace frénétiquement vers l'élément féminin, l'ovule, lui, est immobile et « passif ». Comportement des cellules sexuelles élémentaires que le mâle adulte reproduit en pourchassant la femelle afin de la soumettre à son désir et la pénétrer. L'humain serait-il stupidement victime de la dictature comportementale de ses gamètes ? La masculinité serait alors ici liée au seul caractère de l'agressivité.

Depuis des millions d'années, le bon gros mâle dominant chasse la femelle avant de la saillir. Un homme « fait l'amour » à une femme, il la « baise ». Mais, pourquoi ne pourrait-on pas dire plus souvent, depuis le temps que nous sommes sortis de l'animalité (enfin quoique...), qu'une femme « fait l'amour » à son mec ou qu'elle « baise son mari » ?

La pornographie conditionne énormément notre imaginaire sexuel. L'homme, forcément actif, y est présenté toujours comme reproduisant systématiquement le même schéma réducteur. On se croirait au zoo : baisers prolongés (ou pas), caresses génitales, érection, contacts oraux génitaux, coït vaginal (pornographie hétéro) ou anal (porno hétéro/homo), avec éventuellement double pénétration, menant au but suprême, l'éjaculation-orgasme perçue comme une fin en soi. Dans nos sociétés occidentales, on ne peut, hélas !, envisager de sexualité sans orgasmes ni éjaculations. Qui plus est, aussi bien dans la pornographie que dans de nombreux traités sur la sexualité, affectivité et sexualité sont totalement dissociées. Il est rare en effet, dans les représentations de la pornographie, d'assister à des moments de tendresse et d'affection.

On croit aussi que les caractéristiques de l'homme consistent à assumer le rôle actif, alors que la femme est passive. Chacun de ces stéréotypes possède des conséquences sur le comportement : en général, les hommes essayent d'être à la hauteur des croyances populaires, et les femmes acceptent d'être traitées – sur le plan sexuel – comme des citoyennes de seconde classe.
Les femmes devraient donc être soumises et laisser les hommes prendre l'initiative des relations, imposer le rythme et la fréquence et stopper l'action en éjacu-

lant. Bien heureusement, ces schémas archaïques ont évolué ces dernières décennies. Master et Johnson l'ont remarqué dès les années 1980 : leur impression, tirée de milliers d'interviews, de sondages et de cas cliniques, est que beaucoup de femmes jouent un rôle plus actif dans les relations sexuelles en général, et dans le coït en particulier. Elles sont maintenant moins soumises aux vieux stéréotypes sur le rôle des sexes.

HOMME PASSIF – FEMME ACTIVE

L'homme ne devrait pas toujours être actif. Il est difficilement compréhensible que la place de la passivité chez l'homme soit aussi réduite, voire inexistante. C'est culturel cela va sans dire. On conditionne les petites filles à être pénétrées et les petits garçons à se servir de leur zizi triomphant. Il faut que l'homme trouve ou retrouve toutes les potentialités de sa passivité. Ils ne devraient pas hésiter à se faire doigter, se faire branler la prostate, voir même goder. Rester passif, surtout pour un homme, peut paraître extrêmement difficile. Il faut donc s'y habituer graduellement. Certains hommes pourront être mis mal à l'aise par une femme trop entreprenante et, dans certains cas, n'arriveront pas à bander. Ce sont les séquelles de notre culture machiste. Avec la pratique, il est de plus en plus facile de se laisser aller.

Que la femme soit active présente bien des avantages. L'homme peut être allongé sur le dos et la femme s'asseoir sur sa queue et régler de sa propre initiative le déroulement des opérations. Il est plus facile pour elle, par exemple, d'introduire le pénis dans son vagin ou son anus parce qu'elle sait quel est le meilleur moment pour elle, sait précisément où se trouve l'orifice, et trouve l'angle d'insertion approprié pour stimuler son point G. Alterner les rôles permet de mieux connaître son corps et celui de son partenaire, lorsque les caresses sont mutuelles.

Un exercice intéressant consiste à faire tenir le rôle « actif » par la femme. Celle-ci demande à son mec ce qui lui ferait plaisir. Ensuite, elle prend en charge le déroulement des opérations. Elle ne doit pas hésiter à être égoïste et à se comporter comme un macho. L'homme devant rester totalement passif et se plier à toutes les fantaisies de la femme (ça changera...). Comme toujours, concentrez-vous sur vos sensations. La responsabilité de devoir procurer à son ou sa partenaire sexuelle le summum de l'extase à chaque relation est à l'origine de bien des peurs de ne pas être à la hauteur. C'est ce que l'on appelle l'angoisse de performance. Ainsi, lorsque l'on est actif, il faut se concentrer sur les gestes et sur la zone du corps que l'on touche ; ne penser qu'à soi et son plaisir ; n'attendre aucune réaction de son partenaire de jeu.

Inversement, lorsque l'on est dans le rôle passif, il faut se concentrer sur les sensations éprouvées ; suivre mentalement les mouvements des mains de son compagnon ; dire si quelque chose ne convient pas ; sinon, rester silencieux et ne rien faire qui puisse être interprété de votre part comme du plaisir ou du déplaisir.

2.comment lui faire l'amour ?

L'acte sexuel ne se réduit pas, comme voudrait nous le faire croire la propagande nataliste, au simple coït vaginal et reproducteur. Libérés de l'injonction reproductive, nous pouvons mettre en place un grand nombre d'approches préliminaires et autres activités érotiques des plus originales : les caresses génitales, les excitations orogénitales, les relations anales, et patati et patata, mais aussi le fist-fucking, les jeux uros, sadomaso, etc.

Une sexualité basée sur l'interdit. Très jeune, on enseigne aux enfants – que l'on conditionne littéralement à l'hétérosexualité – les valeurs à suivre. La base de la pédagogie sexuelle occidentale étant le fameux : « Ne fais pas ci, ne fais pas ça, et patati et patata » se déclinant en multiples variantes prohibitrices, parmi lesquelles : « Ne touche pas ton zizi », « Ne mets pas tes doigts dans le nez », « Ne touche pas tes petits camarades », et j'en passe. Notre éducation sexuelle (encore faut-il qu'elle existe) repose sur l'hétérocentrisme, l'interdiction et la rétention du plaisir. C'est donc, pourrait-on dire, une sexualité en puissance, virtuelle en somme. Ainsi, aux petits garçons on dit qu'il ne « faut pas toucher son zizi, que ce n'est pas bien du tout », ou encore « que c'est très très mal », « qu'il ne faut pas s'habiller en fille » ni « fricoter avec ses copains ». Si aujourd'hui la masturbation n'est plus « un péché qui rend sourd », elle reste toutefois connotée péjorativement. Elle n'est pas quelque chose de simple et normal. Quant à l'homosexualité, même si elle est de mieux en mieux acceptée par la société, sa sexualité reste encore taboue.

Ce qui est au centre des relations sexuelles, ce sont les codes entretenus éternellement par la tradition et la morale judéo-chrétienne. La jouissance comme telle est muette. Si quelques personnes libérées communiquent facilement au sujet de leurs préférences sexuelles, la plupart, apparemment, s'enferment encore trop souvent dans un mutisme stérile. Pourtant, le sexe devrait être verbalisé.

Apprendre à faire l'amour. La capacité sexuelle de chaque homme et de chaque femme est infinie. Encore faut-il la développer en pratiquant des positions diverses et variées, sources d'excitation et de plaisirs nouveaux. Pour cela, il faut apprendre à reconnaître et développer toutes nos sensations : prendre du plaisir à toucher l'autre ; ressentir le plaisir d'être touché ; se laisser aller au plaisir sans éprouver ni anxiété ni culpabilité. Une relation est parfois un travail au long cours, celui d'une vie entière. Faire l'amour est un art difficile qui nécessite entraînement, imagination, passion et concentration. L'amour se pratique à deux (ou plus…). Alors n'attendez pas que votre partenaire fasse tout. Ce n'est pas à l'homme de se charger de tout.

Préludes
et postludes

Les individus sont plus ou moins sensuels. Souvent réprimée par l'éducation et inhibée par les préjugés, la sensualité doit être travaillée mentalement et développée. Il s'agit en fait de cultiver sa sensualité, de la muscler. Notre sexe-culture parfois consumériste préfère souvent les rapports expéditifs, les plans culs à la va-vite. Nombre de personnes ont conscience qu'elles ne consacrent pas assez de temps aux préliminaires. Elles ne savent pas toujours comment s'y prendre et ne savent pas qu'ils peuvent être aussi excitants que l'acte lui-même.

Il n'existe pas de règles établies des préludes. Imagination et tendresse en sont les baveuses mamelles. Avant un plan cul, il est très agréable de prendre un bain et de laver son partenaire. Le simple toucher et les caresses tendres devraient précéder tous rapports (mis à part dans les plans hard où l'impulsivité animale est justement recherchée). Commencez par passer vos mains doucement sur le dos de votre lover, le haut du derrière, jusqu'à la nuque. Ne commencez pas directement sur le sexe, le cul ou les seins. Pendant ce temps, vous pouvez aussi embrasser le cou, dériver jusqu'à sa bouche, selon vos fantaisies. Vous pouvez aussi passer le bout de votre langue sur la peau tendre du cou. Explorez le corps de votre partenaire. Caressez les cils, les oreilles, le cou, les cheveux, les aisselles, les mamelons, le nombril, la colonne vertébrale, l'intérieur des cuisses, les mains, les pieds, le fessier, l'anus, le périnée. Pour cela, utilisez vos mains mais également vos cils, vos cheveux, vos dents, vos mamelons, votre toison, vos poils, vos pieds.

On fait l'amour « aussi » pour satisfaire ses instincts, même les plus vils et inavouables. Chassons donc la honte et le dégoût qui peuvent siéger au plus profond de nous. Ils ne sont souvent que les images inversées et refoulées du désir et de la pulsion. Des images contraires et polluantes engendrées par notre éducation. On ne le répétera jamais assez. Cama-

rades, nous devons nous libérer du joug de l'oppres-
seur.

La sexualité doit être gourmande, ludique et imaginative : baiser profond à pleine bouche, mordillage des oreilles, du cou, des seins, bouffage de cul, de la queue etc. ; pincements des tétons, titillements de la langue, aspiration avec la bouche. Cannibalisme érotique, parcours de tout le corps avec la bouche, arrêt sur les zones sensibles : nuque, intérieur des cuisses, scrotum, sexe, nombril, seins, aisselles ; caresses, effleurements avec les mains, le bout des doigts ou les ongles. Les jeux du corps sont infinis ! La sexualité doit être gourmande, ludique et imaginative. C'est ainsi le meilleur moyen de découvrir ses zones érogènes et celles de son ou de ses partenaires. Il ne faut donc pas hésiter à visiter son corps et celui des autres. Grâce aux mains, média principal de la sexualité, explorez une à une toutes les parties, points sensibles. Touchez un à un tous les centimètres carrés de peau. Appuyez graduellement, de l'effleurement à la pression violente.

Symphonie pour le corps. Tel un artiste, composez de vos mains une symphonie pour le corps de votre mâle. Celui-ci devient instrument de musique des sens, un piano de chair. Enchaînez les mouvements d'accalmies et d'emportements. Jouez, jouissez du corps de l'autre. Le corps possède son langage et chaque mouvement est un message. L'amour et la sexualité n'échappent pas à cette libidinale chorégraphie. Aucun mot n'est forcément nécessaire pour exprimer son désir, sa passion, son affection ou sa répulsion. Gestes, signes et mimiques participent d'un langage du corps. Chacun doit alors développer son vocabulaire, en étudier la grammaire et composer de belles phrases érotiques.

Communiquer avec son corps. Quand on parle de sexe, on occulte souvent l'importance du toucher et des caresses. C'est pourtant un moyen parfait pour communiquer la tendresse, l'amour, la chaleur, son besoin d'intimité et de rapprochement. De plus, le toucher est non seulement un moyen de communiquer quelque chose, mais c'est aussi une forme de communication en soi.

Au commencement de leur relation, les paires d'amants vont se toucher et se caresser fréquemment et longuement. Ils consacrent du temps et de l'énergie à la sensualité. Ils apprennent à mieux se connaître et à s'apprécier. Cependant, quand la période des premières rencontres s'éloigne, il est fréquent qu'il se produise de moins en moins de caresses.

Mais la sensualité est aussi importante en dehors de la sexualité. La confusion entre sexualité et sensualité demeure préjudiciable. Dans nos sociétés, le toucher ne paraît possible, ou acceptable, que s'il y a une relation sexuelle. De même, si on se touche, si on se caresse, on a l'impression qu'il faut absolument que ça se termine par un plan cul. Sinon il manque quelque chose. Dans nos sociétés, hélas !, les rares moments de contacts physiques entre individus, même affectueux, relèvent souvent des plans cul.

Dans nos civilisations, capitalistes et peu humaines, le corps n'a plus de place. Et les relations aux autres restent très souvent hiérarchisées, véritables rapports de force où seul compte le pouvoir à prendre sur l'autre : pouvoir financier, hiérarchique, amoureux, moral ou sexuel. Dans la vie de tous les jours on ne se touche plus. Notre corps n'est parfois plus qu'un ridicule objet sexuel dont le seul but est la pénétration. Et encore pas toujours. Pour certains le corps n'existe pas, n'existe plus, n'a jamais existé. Nos sociétés auraient beaucoup à gagner à développer l'éducation sexuelle et sensuelle. Bien des guerres et conflits disparaîtraient…

Les hommes ont aussi besoin de préliminaires.
Ils ne sont pas de vulgaires machines à bander et à jouir. Il peut être savoureux de commencer par un bon massage du dos. Votre mâle soumis est couché sur le ventre, vous l'enjambez en vous asseyant sur ses fesses. C'est très confortable et pneumatique. Débuter par de savoureuses caresses en passant malicieusement votre langue dans l'oreille et en lui mordillant plus ou moins doucement le lobe. Il devrait déjà onduler de la croupe et commencer à éructer diverses onomatopées. Descendez doucement avec votre langue vers son cou, sa nuque et continuez votre chemin le long de sa colonne vertébrale jusqu'au bas du dos et sa vicieuse tirelire. Si, à ce moment là, le poulet n'est pas encore cuit et bien grillé, arrivez aux fesses, léchouillez-lui la rondelle. Cela marche quasiment à tous les coups.

Exemples de préludes

Caressez le visage de votre amant, massez-lui les pieds. Ne vous dirigez pas directement vers son sexe, occupez-vous de l'ensemble du corps et des fesses notamment. Faites de petites morsures dans le cou. Avec vos doigts, frottez le pourtour de ses lèvres. Sucez lui les doigts de pieds. Embrassez-le partout. Servez-vous de tout votre corps pour masser le sien. Déshabillez-vous l'un devant l'autre. Attachez-le, masturbez vous devant lui, bandez-lui les yeux, jouez à la vamp, laissez-vous aller. Faites le strip-tease du siècle. Réveillez la cochonne qui sommeille en vous. Portez des dessous sexy. Mettez une musique d'ambiance. Buvez quelques coupes de champagne. Commencez par toucher votre corps avec vos mains. Au début, jouez les pudiques puis lâchez-vous. Retirez vos dessous progressivement. Approchez-vous de votre partenaire en le regardant droit dans les yeux. Avec les femmes, il est presque toujours préférable d'y aller en douceur. Chez les hommes, au contraire, on préférera souvent la fermeté.

Les préludes ne doivent pas faire oublier l'importance des postludes : l'ensemble des caresses que l'on se donne après l'apogée orgasmique. Postlude : = « après va-va, on fait chill out ». Quelques mecs souvent mal dégrossis, n'envisagent comme postlude que celui de fumer une cigarette ou de se laver la queue. On se demande bien d'ailleurs ce que faisaient les humains après l'amour, avant l'invention de la cigarette. Pourtant, ce moment de détente totale et d'harmonie, ressenties après l'orgasme, est un instant privilégié de don et d'amour. En effet, les caresses sont alors totalement gratuites et désintéressées et l'on sait que l'on n'a pas affaire au stratagème cynique d'une cybercochonne en mal de rut. Rien n'est plus beau que la tendresse post-coïtale.

COMMENT L'EMBRASSER

Le baiser peut représenter un geste de fusion, d'affection, de passion et de respect. Le contact entre les bouches, les langues unies, provoque une forte excitation, un sentiment de communion intense, de fusion totale.

Embrasser est tout un art. Concentrez-vous sur le plaisir de vos lèvres contre ses lèvres, de votre langue contre sa langue, du contraste entre le sec et le mouillé. Utilisez vos lèvres, votre langue, vos dents. Appuyez fort, sucez, aspirez, léchez. Léchez le coin de la bouche, l'intérieur de ses lèvres, caressez son visage, sa nuque, son cou. Massez les gencives, aspirez sa respiration. Donnez une multitude de petits baisers.

La bouche, les lèvres et la langue sont des zones à haute capacité érogène. Les terminaisons nerveuses présentes sur les lèvres sont extrêmement sensibles. Le baiser utilise la sensibilité de cette région comme source d'excitation sexuelle. Le baiser est le préliminaire idéal à une bonne partie de fesses en l'air. Concentrez-vous sur le point de contact entre votre bouche et le velouté des lèvres ou de sa langue. Focalisez-vous sur le goût de sa bouche, la douceur des lèvres, la chaleur de sa langue. Léchez les lèvres de votre partenaire, aspirez-les, mordillez sa langue, visitez sa cavité buccale. Symboliquement, mangez votre partenaire. Restez, de temps en temps, les yeux ouverts pour regarder profondément votre partenaire. Jamais autant que lors d'un baiser les yeux ne sont autant rapprochés. Ils se parlent alors d'âme à âme. Et c'est à ce moment, parfois, que l'on peut atteindre la vérité de l'autre. De plus, avec la langue et la bouche, chaque partenaire peut être à la fois pénétrant et pénétré. Le baiser, par cette double pénétration est un acte sexuel queer quasiment hermaphrodite.

COMMENT LE TOUCHER

Les travaux récents des sexologues le recommandent, il faut toucher l'autre avant tout pour son propre plaisir. En un mot, il faut être égoïste, si, si. Se focaliser sur le plaisir du partenaire aboutit souvent à tomber dans une « angoisse de performance ». Qui plus est, le plaisir que vous prendrez à caresser l'autre sera forcément ressenti par lui. Libéré de l'angoisse de performance, vous et votre partenaire vous sentirez plus libres. Vous devez vous sentir délivré de toutes exigences. Votre partenaire n'est pas votre employeur et vous n'avez, a priori, aucune prouesse à accomplir. La sexualité n'est pas une compétition sportive, comme tendraient à nous le faire croire nos sociétés libérales et concurrentielles.

Toucher une personne produit une sensation de pression sur la peau. Ce sens permet de recevoir et de transmettre simultanément. Le toucher représente donc une communication sensorielle privilégiée, une communion même. La peau possède près de 1,5 million de récepteurs sensoriels réagissant spécifiquement au contact. Les récepteurs sensoriels sont formés d'appendices de neurones sensitifs qui se terminent dans la peau. Il existe différents récepteurs cutanés spécialisés pour un type de stimulus particulier et situés à des profondeurs variables. Certaines parties du corps possèdent un plus grand nombre de terminaisons nerveuses. Leur stimulation sera donc plus productive en terme de sensations. Ainsi, nos zones érogènes sont-elles plus innervées et sensibles.

Les caresses doivent être gratuites. On ne donne pas forcément pour recevoir en retour. Les sensations exprimées par le toucher et le senti (doigt et peau) sont les ingrédients privilégiés du plaisir. Pour les développer, il faut se concentrer sur elles. Se concentrer sur son corps, sa peau, ses doigts, sa bouche...

Les caresses ne doivent, au départ, jamais être trop appuyées. Lentes ou brèves, elles doivent rester, surtout au commencement, légères et s'effectuer très lentement. Être ainsi touché engendre relaxation et réconfort. Elles doivent prendre en compte l'intégralité du corps et non pas se focaliser uniquement, comme nous avons souvent tendance à le faire, sur les zones érogènes primaires. Le corps se doit de retrouver son intégrité. L'effleurement est un mode de caresse délicate qui provoque, outre de banals réflexes d'horripilation (chair de poule), une forte tension érotique. L'effleurement, dans le minimalisme de son acte, est certainement un des attouchements les plus efficaces en terme de sensations.

COMMENT LE MASSER

Effleurements, caresses : le plaisir est au bout des doigts. Pour un massage érotique efficace, il est capital de prendre son temps et de se mettre dans les meilleures conditions : lumières tamisées, musique douce, encens, support confortable. Prenez un bain ou une douche afin de rapprocher au maximum vos corps dans une enivrante communion. Lavez votre partenaire, savonnez-le, puis séchez-le comme un bébé. Un doux sentiment d'abandon et de régression infantile l'étreindra alors. Dans un couple, il peut être très très utile de suivre des formations en massage pour poétiser les relations sexuelles et prévenir la lassitude et le multipartenariat consécutif à l'ennui. Il existe un grand nombre de types de massages. Ils servent à créer une profonde intimité.

Le massage doit se dérouler dans une pièce chaude et une ambiance agréable. Éteignez vos téléphones fixes et portables afin d'éviter de vous faire appeler en pleine sodomie. Cela déconcentre et fait débander. Les musiques planantes ou répétitives sont idéales. Celles que l'on écoute tôt le matin en rentrant de club dans un état innommable en regardant les *Télé-*

tubbies à la télé sont parfaites. À écouter également lors de vos plans cul : les compils de backrooms des bordels gays d'Amsterdam comme celle de l'Argos. Demandez également conseil à vos copines fisteuses qui possèdent forcément une discothèque imposante en musique dilatante. Vous pouvez encore préférer une maison silencieuse comme un chou-fleur. Adoptez les éclairages indirects et doux ou encore des bougies. Commencez par un massage général et sensuel. Par la suite, vous orienterez progressivement votre attention vers la queue ou le cul. On prendra garde toutefois à ne pas provoquer une éjaculation trop rapide.

L'huile d'amande douce est la plus utilisée et se trouve facilement en grande surface. Un lait hydratant peut aussi faire l'affaire. On peut masser avec tout le corps dans un body-body affriolant. Le massage génital est un bon moyen de connaître le sexe de son amant, celui-ci devenant une patate chaude que l'on manipule.

Demandez à votre partenaire de bien s'étendre sur le lit, de respirer calmement, de détendre tous ses muscles et de se laisser totalement aller. De se donner à vous. Pas de gestes brusques, de l'infinie douceur. Posez vos mains sur son corps et enduisez-le d'huile relaxante. Fluides et énergies s'échangent et se mêlent. Le dos bien droit, ne forcez pas, travaillez simplement avec votre poids et votre respiration. Insufflez l'énergie lors de l'expiration.

Le visage est une partie du corps souvent ignorée durant les massages. Pourtant, sa manipulation crée un sentiment profond d'intimité entre deux personnes. Il faut se tenir en tailleur derrière la tête. On pose les pouces de part et d'autre du front en massant doucement en direction des tempes. Il faut masser toutes les zones du visage, étudier une à une toutes les courbes. Évitez de rentrer un doigt dans la cavité nasale pour y faire le ménage, cela vous déconcentrerait tous deux ! Il peut être utile de suivre des cours ou de lire un manuel. Mais on peut toujours faire à l'instinct et agir avec une infinie douceur.

Le contact entre les mains et le corps ne doit jamais s'interrompre. Il faut savoir que quelqu'un de tendu, contracté, ne ressentira pas certaines sensations et ne pourra exprimer toutes ses émotions. Inversement, quelqu'un dont la musculature est excessivement flasque est limité dans la façon dont il ressent les choses et exprime sa vitalité intérieure. Un bon contrôle musculaire est nécessaire pour une sexualité épanouie. Il est donc recommandé de faire un minimum de sport afin de bien jouir. Être une Gym Queen, en dehors des bienfaits physiques et esthétiques, est donc un complément idéal pour une sexualité épanouie.

Les jambes. Les deux mains autour de la cheville, remontez progressivement jusqu'en haut des cuisses, puis redescendez chaque main du côté de la cuisse, massez légèrement le mollet, puis recommencez.

Le dos. Du plat de la main, les pouces placés de chaque côté de l'épine dorsale, à la hauteur des reins, remontez fermement mais doucement jusqu'à la nuque ; caressez les épaules, opérez en mouvements circulaires avant de redescendre sur les reins et de recommencer.

Commencez par les pieds, manipulez chaque orteil un à un et la voûte plantaire : calcanéum, cuboïde, cunéiforme, sésamoïde. Pétrissez les muscles : aponévrose, abducteur traverse et fléchisseur. Remontez doucement vers les mollets, puis abordez les cuisses. Chaque partie du corps retrouve alors son intégrité : tibia, péroné, rotule et fémur. Essayez de ressentir votre partenaire, de comprendre ses réactions, ses désirs, son plaisir. Captez ses fluides. Attardez-vous sur chaque os, muscle et ligament : pétrissez-les comme pâte, effleurez, malaxez-les. Arrêtez-vous un long moment sur les fesses, grand fessier, tenseur du fascia lata, droit antérieur, étudiez le galbe, moulez vos paumes. La conscience s'évapore, le corps redevient sujet. Puis, arrivez au dos : grand dorsal, grand oblique, deltoïde, grand rhomboïde. Les yeux fermés, il ronronne maintenant et gémit.

LE TRAVAIL DES SEINS

À l'Éden des zones érogènes, les seins arrivent largement en tête chez les gays, qu'il soient caressés, léchés, malaxés, mordus ou tirés. Le mamelon contient de très nombreuses terminaisons nerveuses sensitives. La manipulation des seins devrait donc faire partie du répertoire sexuel de tout hédoniste qui se respecte. Le sein mâle hétérosexuel est moins utilisé. C'est un tort.

Les hommes ont des glandes mammaires qui possèdent moins de terminaisons nerveuses que celles de la femme. Les seins masculins sont donc, a priori, moins sensibles que les seins féminins. Toutefois, un travail au long cours permet de développer fortement leur sensibilité et leur taille. Leur manipulation pouvant provoquer une érection et une forte excitation. Il semble que les hétéros mâles soient peu habitués à ces jeux. Les seins masculins constituent donc avec l'anus, les zones érogènes partiellement oubliées de l'hétérosexualité.

Passez doucement vos mains sur ses seins en dessinant des cercles imaginaires autour des mamelons sans toucher à ceux-ci. Jouez ainsi de vos doigts pendant quelque temps. Des gémissements devraient se faire entendre et le bout des seins se durcir. Passer les mains tout autour des mamelons sans y toucher rend le sein de plus en plus sensible. Pendant que vous le faites languir en chatouillant ses seins, passez vos doigts sur les mamelons de temps en temps. Cela vous permettra de mesurer son excitation par sa réaction. La peau étant ici très tendre, il s'agit toutefois de faire attention à ne pas provoquer d'irritations par trop de caresses fougueuses. Passez ensuite rapidement le bout de vos doigts sur les

mamelons et ne les lâchez pas ! Ceci devrait entraîner de doux gémissements de plaisir et une respiration plus rapide.

Après quelque temps, son excitation pourra éventuellement perdre de la vigueur. Il s'avère alors utile de
fourbir une nouvelle et terrible arme d'Éros : votre
langue. Rempilez de plus belle et attaquez non sans
émerveillement ses doux mamelons. L'aspect visuel
d'un beau téton peut être très excitant.

Un glaçon promené sur le téton durcit ce dernier. Ce
qui offre des sensations intéressantes. À l'inverse (et
parfois en alternance), l'utilisation d'une cigarette est
tout aussi efficace. Il ne s'agit pas d'écraser sauvagement le bout rougeoyant sur le téton mais bien de le pro-
mener à quelques millimètres de la peau. La cire de bougie peut être également source de sensations fortes.

Notre culture sexuelle ne laisse que peu de place
au travail des seins masculins. C'est bien dommage.
La réhabilitation du corps de l'homme passe pourtant
également par ses tétons. Les seins des mecs com-
portant moins de terminaisons nerveuses que ceux de
la femme, un plus grand travail s'avère nécessaire
pour développer leur sensibilité. Une bonne méthode
consiste à développer graduellement les tétons en les
manipulant, ou bien grâce à des pompes spéciales
vendues en sex-shop, ou encore avec un Aspivenin,
pompe à venin qui se demande avec un air lubrique à
la pharmacienne. Une fois bandés par l'excitation, les
seins seront naturellement plus réceptifs. Mais atten-

tion, cela n'est ni facile ni immédiat. C'est un travail de longue haleine. Il faut longuement les manger, lécher, malaxer.

Une fois le stade érectile atteint, les plaisirs sont variés : du simple effleurement à la torsion sadique, de l'utilisation des doigts, de la bouche ou des dents à celle de matériel plus sophistiqué ou de poids de plus en plus lourds. Ceux qui ont développé cette sensibilité sont parfois capables de rentrer en transe, ce qui donne une excellente préparation pour d'autres trips plus poussés (les hormones lancées dans le corps désinhibent et réussissent à neutraliser certains phénomènes de douleur). Le travail des seins est donc un préliminaire très important.

Les pinces à seins devraient faire partie du matos de base de toutes cybercochonne de l'espace. Rassurez-vous, elles n'engagent en rien dans la voie ascendante du sadomasochisme... à moins que cela ne vous plaise. Les sex-shops proposent de nombreux modèles à partir de 20 euros. Mais il n'est pas nécessaire de casser le cul de son petit cochon – votre tirelire, pas votre ami – pour s'exploser les mamelles. Une papeterie ou même le rayon bricolage de n'importe quel grand magasin feront l'affaire. Les pinces à dessins, pour un euro ou encore les pinces à linge, pour « pas cher », de plus en plus design et sophistiquées, permettent de nombreux jeux.

COMMENT LE MASTURBER

Il n'existe pas deux hommes qui se masturbent de la même façon. Même si le schéma général de masturbation est identique, la durée, le rythme et le style de chacun restent uniques. La masturbation se traduit le plus souvent par des caresses plus ou moins appuyées sur la queue alternativement de bas en haut puis de haut en bas. La masturbation se termine habituellement par une éjaculation. L'orgasme est une expérience impliquant le corps dans son intégrité. C'est un moment très intense, qui n'est comparable à rien d'autre dans l'existence. Il est à noter qu'on peut très bien avoir un orgasme sans éjaculation.

Dans un couple, la masturbation est une alternative au sacro-saint coït. C'est également une bonne méthode de safe sexe. Par exemple lorsque, dans la précipitation de la rencontre, l'on n'a pas de préservatif sur soi pour consommer sur place l'objet de sa convoitise.

La masturbation réciproque peut être une expérience fort affriolante. Il est important de connaître comment son partenaire se masturbe spécifiquement. Car toutes les personnes se branlent de manières différentes. Votre compagnon pourra vous guider en vous montrant l'exemple. Vous observerez ses gestes, les rythmes et pressions de la main. La masturbation est une de nos activités sexuelles les plus intimes et quelques personnes ressentent des difficultés à partager ces moments, même avec leur partenaire privilégié. Il peut donc être utile de se masturber côte à côte, soit en même temps, soit en alternance. Ainsi, on est à même d'observer les gestes et les rythmes de l'autre. N'ayez pas peur de son regard. Il s'agit de surmonter sa pudeur. Cela rend libre. Exprimez vos sentiments et même votre gêne afin de les verbaliser et de les dépasser.

La fréquence des masturbations dépend, bien entendu, du bon vouloir de chacun. Quelques hommes aiment attendre quelques jours avant de se masturber à nouveau, afin de bien remplir le spermarium et d'avoir une jouissance plus intense. D'autres, stakhanovistes de la branlette, s'y adonnent immodérément et ce, plusieurs fois par jour. Un homme, même de bonne composition, devra toutefois faire attention à ne pas épuiser ses forces naturelles afin de satisfaire son ou ses partenaire(s).

L'enseignement sur la brandouille comme sur d'autres pratiques sexuelles étant quasiment nul dans nos civilisations sexuellement archaïques, chacun devra donc découvrir et redécouvrir des pratiques ancestrales. Il faut alors parler d'apprentissage solitaire. Sans se lancer dans l'ethno-sexologie, on peut regretter que nos cultures occidentales délaissent à ce point l'éducation sexuelle de leur progéniture. Bien des solitudes, angoisses, pulsions criminelles ou actes de violence seraient certainement prévenus.

La main est l'instrument le plus utilisé avec plus ou moins de raffinement et de vitesse. Mais il existe plusieurs variantes très cocasses : goulot de bouteille, pomme évidée, pâte à modeler, aspirateur, jet d'eau bouillante, vagin artificiel ou même bifteck ! Le *docking* est une masturbation masculine à deux mecs. Les queues sont réunies et sont branlées de concert. Les pratiques masturbatoires réciproques sont plus répandues dans les relations homos qu'hétéro-sexuelles. La masturbation peut aussi être la vérifica-tion de sa virilité. L'invention autoérotique de l'adulte qui se perfectionne dans la solitude sexuelle subie ou choisie laisserait entendre que la classification homo-hétéro exclut une catégorie silencieuse : ceux qui se suffisent à eux-mêmes et dont on ne parle jamais. Ceux qui n'ont jamais de rapports sexuels.

Comment masturber un homme ? Mettez vous à genoux entre ses jambes, votre partenaire couché sur le dos. Prenez les testicules entre vos mains et faites les rouler en douceur. Tenez la base du phallus d'une main et agissez fermement de l'autre. Commencez en bas, glissez jusqu'en haut et amorcez un mouvement de torsion circulaire en approchant du gland (comme un tire-bouchon). La méthode de base consiste à faire glisser votre main le long de son pénis (en le refermant lorsque vous approchez du gland et en le rouvrant lors de la descente). Tordez légèrement votre main tandis qu'elle descend le long du pénis en accordant une attention particulière au frein. La régularité du mouve-ment est importante. Amenez votre partenaire plu-sieurs fois au bord de l'orgasme, puis interrompez vos mouvements pour le faire se retenir. Lorsqu'il est sur le point de jouir, par contre, ne vous interrompez pas, cela est très désagréable, gardez la même cadence et technique. Pour le faire jouir plus vite, vous pouvez introduire un doigt dans son anus (voir toucher rectal).

Masturbation des testicules

Une bonne masturbation ne doit pas oublier les cou-cougnettes. Le service trois pièces, comme son nom l'indique bien, ne se résume pas au seul et si superbe phallus. Les testicules sont elles aussi très sensibles. On ne s'occupe jamais assez de ces petites choses fort douces, et les mecs sont extrêmement friands des massages du scrotum. Chaque bite est différente, et chacune a ses zones de prédilection et ses mani-pulations préférées. Comme toujours, question sexe, la communication est capitale et votre partenaire doit dire ce qui lui plaît ou déplaît. Soyez à l'écoute de ses gémissements et de ses réactions physiques pour modifier vos gestes et les adapter.

COMMENT LE SUCER

Souvent, les femmes sont peu enclines à sucer le sexe de leur mec, arguant du dégoût quant à l'odeur, aux poils et au goût. Notre culture considérant parfois les organes sexuels comme « sales », rend ces caresses « dégoûtantes ». Il faut donc parler de ces répulsions, de son éventuelle peur de recevoir le sperme dans la bouche afin de les dépasser. L'amour de son partenaire facilitera le dépassement de telles limites.

Le sexe de l'homme peut-être source d'odeurs extrêmement fortes et fermentées, nous en avons tous faits l'expérience, hélas ou heureusement (chacun ses goûts). Tout le monde, on s'en doute, n'apprécie pas ce fumet puissant. Il est donc recommandé de nettoyer préalablement le petit oiseau avant usage pour éviter ce « concentré de parfum de bite ». Pour celles que l'hygiène obsède, il faut savoir en tout cas que la bouche comporte bien plus de germes que n'importe quelle verge, eh oui !

Avaler ou pas ? Là encore, c'est une question de goût personnel. Certains mecs trouvent cela indispensable et pensent que c'est l'aboutissement évident de cette pratique : le partenaire recevant une partie d'eux-mêmes. Mais beaucoup de femmes n'aiment pas le goût du sperme ou ne peuvent le supporter. On apprécie ou pas son goût : salé, amer ou sucré et avec une texture quelque peu visqueuse. On peut alors utiliser un préservatif aromatisé à la fraise ou au chocolat pour éviter tout contact direct. L'idéal est donc de formuler verbalement ses souhaits au préalable, en n'ayant pas encore la bouche pleine et en prononçant des mots articulés. On n'oubliera pas de dire, pour les plus jeunes ou ceux qui ont les neurones défaillants, que le sperme est avec le sang un des vecteurs principaux de contamination au virus du sida et autres MST. Il est donc préférable, lorsqu'on ne connaît pas le statut sérologique de son partenaire, de ne pas avaler et de sucer avec préservatifs.

Si vous voulez avaler le sperme, faites-le bien sans faire la grimace. Déglutissez en faisant : « *Miam miam, c'est bon !* » Si vous ne le voulez pas, faites-vous jouir sur le corps (poitrine ou cou). Puis étalez le tout sur votre peau spermophile.

Apprenez à aimer ça. Accordez le temps au prélude. Modifiez le scénario le plus souvent possible et stimulez tous ses sens. Variez les positions. Faites du bruit, complimentez le sur son pénis. Apprenez à connaître son sexe, explorez-le. Si vous avez des cheveux longs, utilisez-les pour des massages sensuels. Faites voir votre visage. Sucez-le comme s'il s'agissait d'une sucette. Couvrez vos dents avec vos lèvres. Mordillez-le. En avoir vraiment envie, ne jamais se forcer, bien se concentrer. Montrez que vous appréciez vraiment de sucer.

La langue est un organe extrêmement sensible qui allie le goût et le toucher. Pour faire une bonne pipe, il faut se détendre au maximum, ne pas être raide et se laisser aller. Les lèvres et la langue sont les sources majeures des sensations. Là encore, tout est question de doigté, de prise en bouche. Commencez par lécher le gland, puis continuez le long de la face externe, sur le filet, avec la pointe de la langue (un des points les plus sensibles). Prenez délicatement le membre viril dans votre bouche goulue et faites un lent et doux mouvement de va-et-vient de plus en plus profondément tout en faisant une légère succion. Lorsque l'engin commence à prendre des dimensions indécentes pour vos chastes mâchoires, adoptez un rythme de croisière un peu plus rapide et régulier. Assurez-vous bien de ne pas sucer avec les dents, cela peut-être très désagréable. Ouvrez votre bouche en la protégeant de vos dents avec les lèvres (pour ne pas faire mal). Introduisez la bite doucement. Bougez la tête de haut en bas, ne vous arrêtez pas. Vous pouvez fermer les yeux et vous laisser submerger par les sensations, ce goût de paradis, qui telle une confiserie, vous envahit. Goûtez la fermeté des chairs, le velouté des tissus. Suçotez le gland, aspirez-le, mordillez-le, léchez le frein. Léchez en faisant des mouvement circulaires avec la langue. Alternez en suçant comme un bonbon. Avalez lentement vers le bas, mesurez avec délectation, un à un, les centimètres que vous parcourez, puis remontez doucement. La sensation du sucé sera voluptueuse, englobante, totale. Ne retirez pas votre bouche brutalement et ce, surtout lors de l'éjaculation. Rien n'est pire que de jouir dans le vide. À moins que vous n'ayez prévenu votre partenaire que vous n'avalerez pas. Léchez et sucez tel un esquimau.

Mais la bouche n'est pas le seul instrument de la fellation ! Les mains sont le média connexe de la fellation. Elles permettent, bien salivées, d'accompagner le mouvement de va-et-vient et facilitent l'éjaculation. Ce mixte fellation-masturbation enivrera plus d'un mâle et le fera souvent exploser avant l'heure.... Lors d'une pipe, la bouche fournit un contact intime, chaud et humide, que l'on ne rencontre pas dans la masturbation. Langue et lèvres sont des outils de plaisir incontestablement très maniables. Comme pour la sodomie, il existe une grande variété de techniques.

Le temps, l'attention et la technique vous permettront, si vous ne l'êtes déjà, de devenir une véritable pro du pot. Il s'agit d'être à l'écoute du sexe de son jules. Une bonne fellation doit se concentrer sur les zones les plus sensibles du pénis qui sont le gland, le frein et la ligne de peau plus foncée sur le scrotum qui sépare les deux testicules. Une autre zone très sensible des porteurs de quéquettes est le périnée, la zone entre le scrotum et l'anus. Le masser fortement avant l'orgasme, l'amplifie. Il faut donc se concentrer sur ces parties en léchant et suçant jusqu'à plus soif.

Variantes. Nombreux sont ceux qui estiment que la meilleure position pour pratiquer une fellation est celle du 69, où chaque partenaire se trouve tête-bêche, nez à nez avec le sexe de l'autre. Les sensations sont ici doubles. Cependant, pour certains, il n'est pas toujours facile de recevoir et de pratiquer en même temps le sexe oral, ceci demandant un relatif travail de coordination.

Suivant la taille de l'engin et vos capacités d'ingurgitation, il n'est pas toujours facile d'avaler jusqu'à la garde. La sensation du gland contre la glotte peut provoquer un réflexe gênant de haut-le-cœur.

D'autres garçons aiment également se faire doigter et masser la prostate pendant une fellation. Il existe un nombre infini de variantes concernant la turlutte.

L'utilisation de liquide ou d'aliment pimente le tout. Admirez votre Frigidaire et laissez vaquer votre débordante imagination. Que sera-ce donc ? Confiture, crème glacée au chocolat ou chantilly ? Champagne, soda glacé, glaçon ou raffinement suprême, café chaud ? Les sensations de froid et de chaud étant pour certains, littéralement « sublimes et affolantes ». Une pipe au champagne ou au café chaud sont littéralement subjuguantes. Laissez libre court à votre intuition, à votre fantaisie. Faites d'une quelconque fellation un film à rebondissement avec ses passages un peu lents, d'autres ou l'action s'emballe, s'emporte. Mais l'essentiel est d'aimer son partenaire et son sexe, de le vénérer comme un dieu ; une phallique divinité à prier, à laquelle on offre sa bouche et son corps en offrande dans un rituel d'abandon total.[1]

COMMENT LE FAIRE BANDER ENCORE MIEUX

Ils sont bien mignons nos hommes, mais le problème, c'est qu'ils ne bandent pas toujours très bien. Loin s'en faut. Mais ne vous inquiétez pas. Il existe de nombreux trucs permettant de redonner consistance à toutes ces choses un peu molles comme les pompes à queue et autres cockrings. Très utilisés par les gays, les cockrings sont idéaux pour redonner un peu d'ardeur à nos phallus adorés.

Le cockring est un anneau pelvien. Anneau en acier, en caoutchouc ou bracelet en cuir, adaptable ou non, qui enserre la racine de la queue et les bourses. En faisant barrage – incomplet – au sang de retour, il

---

1. Pour de plus amples informations sur le sujet, vous pouvez vous reporter à *Osez tout savoir sur la fellation*, de Dino, dans la même collection.

permet des érections plus dures et des baisses d'érections moins rapides. C'est un gadget utile en cas de difficulté d'érection notamment si les préservatifs gênent ou réduisent cette érection. Le diamètre et la longueur du sexe s'en trouvent légèrement renforcés. Il faut prendre un modèle à la taille de la circonférence de son sexe et le placer avant l'érection. Le diamètre standard est de 4 à 4,5 mm. Pour les anneaux en métal ou caoutchouc, deux méthodes de pose sont possibles. Certains hommes placent d'abord le sexe puis les testicules. D'autres préfèrent d'abord rentrer les testicules puis la verge. D'autres modèles sont réglables grâce à des pressions et peuvent être placés lors de l'érection.

Trop serré, un cockring peut provoquer des hématomes superficiels, parfois étendus à une partie de la verge. La compression continue peut aussi déclencher des inflammations locales. Comme il enserre fortement l'urètre, le cockring peut rendre l'orgasme plus intense ou douloureux. Il pourra également, du fait même de la compression, réduire l'intensité de l'éjaculation. Il faut attendre de débander pour pouvoir retirer ses anneaux.

Les pompes à queue ou prothèses péniennes externes (un nom scientifique à défier toute érection) sont à l'origine un traitement efficace des troubles d'érection d'origine organique. Mais, de plus en plus d'hommes les utilisent dans un but esthétique. Dans les sex-shops, on en trouve de nombreux modèles. Les pompes ont un certain nombre de composantes de base, plus ou moins identiques selon les fabricants : un cylindre à l'intérieur duquel le patient place sa queue ; une pompe manuelle ou électrique servant à créer un vide total ; un adaptateur permettant d'ajuster la dimension du cylindre à la taille de la bite ; des cockrings servant à empêcher le retour de sang vers le corps. Une pression négative (vacuum) à l'intérieur du cylindre provoque un afflux de sang à l'intérieur des corps caverneux de la queue et un cockring empêche le sang de refluer. Ceci permet d'obtenir et de maintenir une érection suffisamment rigide pour la pénétration ainsi que de belles dimensions à l'organe.

Mode d'emploi. « Pump up the volume ». Le mode d'emploi est simple. On doit d'abord assembler les différentes pièces du Lego-sexe : deux, trois ou plusieurs à réunir suivant les modèles. Pas besoin de sortir de l'ENA pour autant, c'est très simple. On place d'abord un cockring adapté à la taille de sa queue à l'ouverture du cylindre ; on enduit de gel lubrifiant hydrosoluble l'entrée du cylindre afin d'empêcher l'air d'entrer à l'intérieur du cylindre, aussi sur le pubis et la queue ; on place correctement la queue à l'intérieur du cylindre ; enfin, on actionne la pompe afin de provoquer l'érection et hop ! Il faut généralement de 2 à 5 minutes pour provoquer une érection complète et bien faire grossir la bite ; on transfère ensuite l'anneau de serrage du cylindre sur la bite ; on rétablit enfin une pression normale et on retire le cylindre de la queue. Et après on s'amuse.

L'érection se conserve en moyenne une trentaine de minutes. Il faut faire attention à ne pas garder trop longtemps le cockring afin de permettre à nouveau la circulation sanguine. Une fois l'anneau enlevé, l'érection disparaît habituellement en quelques minutes. Il est à noter que l'apparence violacée de la queue ainsi que les veines engorgées sont normales. L'éjaculation, à cause du cockring, peut-être modifiée ou diminuée. L'utilisation d'une pompe à queue peut provoquer des petites lésions de vaisseaux sanguins.

Et lui, comment devrait-il vous faire l'amour ?...

C'est bien beau d'être gentille, mais en amour aussi c'est donnant-donnant ! Vous avez le droit d'être exigeante, votre plaisir est en jeu. Les conseils qui suivent sont destinés à être subtilement glissés à l'oreille de votre copain.

Le premier rapport. Cogito Ergo Boum. Ayez confiance en votre premier amant. Rien n'est pire qu'une première fois ratée. N'hésitez pas à dire que vous êtes vierge ou peu expérimentée. Protégez-vous des MST ou de tomber enceinte. Choisissez le moment et l'endroit avec précaution. Ne vous attendez pas à avoir forcément un orgasme la première fois. Le (la) partenaire expérimenté(e) prendra les choses en main. Soyez certaine de désirer la personne. Prenez une position de base type missionnaire qui évitera des gesticulations maladroites. Faites-vous aider par votre amant. Ne vous étonnez pas si tout est très vite terminé. La première fois est très importante, mettez toutes les conditions de votre côté pour la réussir.

Baisers et préliminaires auront provoqué excitation, érection du pénis et lubrification vaginale. La fille s'étend sur le dos, les genoux pliés et les cuisses écartées. Le garçon s'allonge sur elle, la pénètre doucement dans cette position qui dégage bien l'entrée du vagin et tend l'hymen, facilitant ainsi sa rupture. Lors de celle-ci, on note un saignement plus ou moins abondant dans 70 % des cas. Il ne faut pas s'en inquiéter.

Il est utile que le garçon joue lentement avec son sexe. Il rentrera d'abord le gland puis le début de la hampe de quelques centimètres. Il se peut que l'hymen bloque le passage. Un coup de rein plus ferme permettra de rompre alors cette barrière. Attention à ne pas être trop violent ! Dans cette position, le garçon restera quelques instants pour calmer la douleur de son amante. Il ressortira ensuite d'autant pour revenir dans un mouvement lent de va-et-vient. Par la suite, suivant les signes de sa partenaire, il augmentera graduellement la cadence en même temps que monteront l'excitation et le plaisir. Au bout d'un temps variable suivant les individus, les deux partenaires pourront éventuellement ressentir un orgasme.

LA PÉNÉTRATION VAGINALE

Écoutez les filles ! Au risque de me mêler de ce qui ne me regarde pas, il faut que je vous rappelle une ou deux choses.

Les femmes ont souvent des orgasmes uniquement par stimulation du clitoris. L'inconvenient physiologique du coït est que le clitoris est mal placé... S'il était plus proche du vagin ou dans celui-ci même, l'orgasme serait atteint bien plus facilement.

Les femmes qui connaissent l'orgasme vaginal le décrive comme moins intense que l'orgasme clitoridien, mais aussi plus profond. Si vous ne jouissez qu'avec stimulation clitoridienne, informez-en votre partenaire. Expliquez-lui que c'est biologique et que cela n'a rien à voir avec sa technique sexuelle ou la taille de son sexe. Choisissez une position qui permette un accès aisé au clitoris. Vous pouvez également stimuler à la main votre clito lorsqu'il vous pénètre.

Un bon plan sexe est un pot-pourri de différents ingrédients, qui se combinent pour rendre l'acte agréable et mémorable. Toutes les femmes ne parviennent pas à l'orgasme par le seul coït. N'en culpabilisez pas pour autant. Vos capacités ne sont pas uniquement en jeu. La pénétration ne doit surtout pas laisser totalement de côté la stimulation clitoridienne. Confort, détente et stimulation sont les clefs principales du plaisir. Profonde ou non, la pénétration doit s'adapter aux désirs des deux partenaires, cette ligne étroite de partage total. L'utilisation de lubrifiant est parfois recommandée pour accroître les sensations. Il facilite les rythmes endiablés, les caresses fougueuses et les chevauchées fantastiques ; mais aussi, évite l'échauffement des muqueuses surtout dans le cas de longues pénétrations qui épuisent les sécrétions naturelles tout autant que les partenaires. On ne va pas s'en plaindre...

L'homme pénètre la femme allongée sur le dos, les cuisses écartées. Ils peuvent se regarder, se parler, s'embrasser, se dire des cochonneries. Cette position expose parfaitement le clitoris pour la stimulation. Cette double excitation favorisera l'orgasme. Certains couples utilisent également un vibromasseur pendant les rapports pour masturber le clitoris.

Un rythme effréné n'est pas synonyme de coït parfait. Le mieux est que l'homme suive les expressions de son amante. Il faut se rappeler en effet que les nerfs les plus sensibles du vagin se trouvent à son ouverture. L'homme a tendance à vouloir toujours maîtriser les phases du coït et laisse, généralement, peu d'initiatives à la femme. Un jeu intéressant est d'inverser les rôles, qu'il vous laisse le soin de régler la cadence. Chacun, dans ses inversions de rôle, découvrira exactement quels sont les rythmes et les positions qui plaisent à son partenaire. Pour le mâle, la pénétration peu profonde permet la stimulation constante de la tête du pénis et du frein par la contraction des muscles vaginaux qui se situent à l'entrée de celui-ci près de l'ouverture vaginale.

EXERCICES DE STYLES

La contraction-décontraction des muscles fessiers et vaginaux autour du pénis est un exercice très stimulant. Homme et femme ressentent plus fortement le sexe compressé ainsi que la pénétration. Attention, le pénis ainsi massé peut alors éjaculer plus rapidement. Cette technique, aussi appelée « amour à l'orientale », consiste à « traire » le pénis comme le pis d'une vache. L'homme et la femme ne bougent pas, seule celle-ci contracte ses muscles abdominaux et vaginaux. Cela demande une parfaite maîtrise de son corps que seuls donnent de longs entraînements. Expérimentée, une femme pourra ainsi fumer une cigarette ou souffler une bougie grâce à son vagin. Inversement, les hommes peuvent contracter les muscles de leur pubis pour abaisser ou relever la verge. Cela induit une tonicité plus grande et stimule différents points du vagin comme le point G.

Technique d'alignement coïtal

La technique d'alignement coïtal (CAT) consiste à rechercher la masturbation du clitoris lors du coït par les mouvements de bassin.
Elle a été mise au point par le psychothérapeute américain, Edward Eichel. Il considère que la stimulation clitoridienne est indispensable pour que la femme ait un orgasme. Les mouvements de va-et-vient du pénis n'étant pas suffisant pour atteindre l'orgasme clitoridien, il y substitue un « roulis simultané » qui permet d'exercer une pression rythmée sur le clitoris et ce, jusqu'à l'orgasme. C'est une technique difficile à maîtriser qui demande un apprentissage mais aussi à se déshabituer des anciennes techniques.

La technique. L'homme se met sur la femme, le pubis bien en face du sien. Il la pénètre en se positionnant plus haut qu'à l'accoutumé. La femme enroule ses jambes autour des cuisses de l'homme, en posant ses chevilles sur les mollets de ce dernier.

Le mouvement. Pressions, contre-pressions, la femme utilise uniquement son pubis pour bouger et non les jambes ou les bras. Cela demande une grande coordination. Le but est de bouger tous les deux exactement de la même manière et au même rythme. La femme pousse vers le haut et en avant comme pour repousser son partenaire en écrasant son pubis contre celui de son amant. L'homme suit le mouvement, mais continue justement à appuyer sur le pubis de la femme. Le pénis entre dans le vagin lors de ce mouvement vers le haut. Lors du mouvement inverse, c'est l'homme qui force le pubis de la femme à redescendre et à reculer. Mais la femme se presse contre lui et son clitoris appuie sur la base de son sexe. Durant ce mouvement vers le bas, le pénis vient en avant et appuie sur le mont de Vénus.

L'orgasme. Il ne faut pas accélérer le mouvement à l'approche de l'orgasme mais continuer sur ce rythme de croisière, sans accélérer ni ralentir.

Demandez à votre partenaire combien de temps il ou elle aimerait que dure le rapport. Les femmes préfèrent généralement un rapport au rythme régulier. Demandez-lui ce qu'elle souhaite : de la violence et du pilonnage ou de la douceur.

Exercice de Kegel

Il s'agit d'exercices destinés à renforcer vos muscles pelviens, qui se contractent pendant l'orgasme. Contractez et relâchez ces muscles 25 fois d'affilée, deux fois par jour au début. Lorsque vous pourrez faire rapidement ces exercices, passez à la seconde étape : cinquante fois ces mêmes exercices deux fois par jour. Troisième étape : retenez chaque contraction trois secondes avant de relâcher. Répétez l'exercice vingt-cinq fois puis cinquante fois. Vous sentirez alors votre vagin plus étroit et vous serez à même de masser (traire) le sexe de votre amant. Vous pouvez également vous aider en plaçant un à deux coussins sous vos fesses pour modifier l'angle du vagin. Ne choisissez pas une position ou vous avez les jambes écartées. Il vaut mieux que vos cuisses soient serrées.

Si votre vagin est trop grand, faites des exercices de Kegel. Contractez votre vagin lors de la pénétration pour bien épouser la queue de votre amant. Mettez vous dans des positions où vous avez les jambes serrées et contractez-les. Les gays qui ont une sexualité très ludiques, utilisent parfois des glaçons qu'ils insèrent dans leur rectum afin de resserrer l'ensemble : c'est très stimulant pour les deux partenaires.

Si son pénis est trop petit, ces exercices peuvent également s'avérer utiles. La pénétration ne doit pas être l'élément essentiel du rapport sexuel. Un bon cunnilinctus pour démarrer, puis, prenez des positions permettant des pénétrations profondes ou d'autres permettant au vagin d'être bien serré : par-derrière, penchée en arrière, elle sur vous et des positions permettant de changer l'angle du vagin.

La technique Eso d'orgasmes multiples

Inventée par Alan et Donna Brauer, elle facilite les orgasmes longs et à répétition. Il faut d'abord changer ses appréhensions vis-à-vis du sexe. Développez vos muscles coccygien grâce aux exercices de Kegel. Masturbez-vous régulièrement afin de connaître ce qui vous satisfait vraiment. Formez votre partenaire afin qu'il soit attentif à votre plaisir, qu'il vous pénètre le vagin tout en vous stimulant le clitoris. Le premier orgasme est un point de départ, l'objectif étant de prolonger les contractions. Le partenaire adoucit alors les caresses. Au premier signe d'un arrêt des contractions vaginales, il se dirige à nouveau vers le clitoris et le stimule. Les contractions vaginales devraient reprendre. Il s'agit alors de recommencer à stimuler les parois internes du vagin. On passe ainsi de l'un à l'autre jusqu'à ce que les contractions se produisent à un intervalle d'une à deux secondes. Insistez un quart d'heure, jusqu'à ce que les phases de déclin, où le vagin se rétracte, s'espacent au point que les contractions deviennent continues. Lorsque le vagin se contracte dans un mouvement ininterrompu, vous avez atteint le stade final. Il s'agit alors, des deux mains, de stimuler le vagin et le clitoris. Il peut alors se produire d'après Brauer un déferlement d'orgasme. Cette technique est compliquée, donc ne culpabilisez pas si vous n'y arrivez pas !

Les positions
de l'amour

Une position peut se révéler plus stimulante que d'autres. Certaines femmes préfèrent être face à leur homme pour mieux le regarder et communiquer. D'autres préfèrent des sensations plus « chiennes » et « bestiales », à quatre pattes, l'homme derrière. La cambrure du dos du partenaire pénétré ainsi que celle du partenaire pénétrant est capltale pour le plaisir. Modifier cette cambrure permet de varier l'angle d'insertion du pénis. Savoir ce qui vous plaît comme ce qui vous déplaît se révèle donc primordial.

La position la plus courante de fornication est celle du missionnaire : la femme couchée sur le dos, les jambes écartées, l'homme couché sur elle, pénétrant le fourreau. Cette position commune permet l'insertion aisée du pénis. Cette posture permet également aux deux protagonistes de se regarder droit dans les yeux et, éventuellement, de s'embrasser autant qu'ils le désirent. Si la femme le souhaite, elle peut lever encore plus haut les jambes, et entourer le dos de son partenaire, ce qui permet une pénétration encore plus profonde et intense du gland turgescent. Le problème est que beaucoup de femmes se sentent écrasées dans cette posture et éprouvent du mal à respirer (surtout dans les cas de mari baraqués). De plus, il leur est ainsi quasiment impossible de valser du bassin et de se masturber le clitoris.

L'HOMME SUR LA FEMME

L'homme sur la femme qui entoure la taille de son partenaire avec ses jambes.

La femme cuisses bien écartées, jambes pliées. Position idéale pour guider le pénis et pour faciliter l'entrée du vagin. Cette position permet la stimulation vaginale autant que clitoridienne. La femme peut également positionner ses pieds ou ses mollets sur les épaules de son partenaire, les cuisses ramenées sur la poitrine, permettant une pénétration vaginale maximale.

L'homme sur la femme qui allonge ses jambes.

La verge est parallèle aux parois du vagin, ce qui est très agréable à la femme. Le mâle peut écarter légèrement ses jambes tendues. La stimulation clitoridienne est maximale.

L'homme à genoux devant la femme.

Au bord du lit, la femme est pénétrée par l'homme qui s'agenouille entre ses cuisses.

LA FEMME SUR L'HOMME

Cela peut être lassant pour la femme de se faire toujours prendre passivement dans les mêmes positions par un hétéro sans imagination. Les positions où la femme est sur l'homme permettent donc de varier les plaisirs et de réfréner les pulsions dominatrices du

« phallus sur pattes ». Elle peut ainsi maîtriser le rythme et la profondeur de la pénétration. Lorsque la femme est assise à califourchon sur l'homme, elle peut ainsi stimuler ses muscles pelviens, son point G, le cul-de-sac vaginal et le col de l'utérus. Utilisez le pénis pour prendre du plaisir, changez de positions et de rythmes. Le « missionnaire » travaille essentiellement les muscles pelviens.

La femme allongée sur l'homme allongé.

La femme, les jambes tendues ou légèrement pliées, la poitrine plaquée sur celle de son compagnon ou en appui sur les avant-bras, monte et descend sur le pénis au rythme qui lui chante. L'homme, totalement passif et soumis au bon vouloir de sa partenaire, se concentre sur son plaisir et peut accentuer les va-et-vient par d'amples mouvements du bassin ou en lui tenant les hanches. Beaucoup de femmes apprécient cette position qui permet une stimulation clitoridienne rythmée. Celle-ci peut également profiter de la passivité de son jules pour lui glisser subrepticement un doigt dans le derrière.

La femme à califourchon sur l'homme allongé.

La femme se place à califourchon sur son partenaire en maintenant le pénis dressé à la perpendiculaire. Elle peut alors faire monter son bassin sur le pénis ou opérer des roulements de hanches au rythme qu'elle désire en contrôlant la profondeur de la pénétration. Chacun a les mains libres pour caresser, griffer ou gifler son partenaire. Le spectacle de la poitrine ondoyante et du pénis pénétrant en excite plus d'un. La femme peut également se positionner à califourchon sur l'homme, la nuque en direction de la tête de son compagnon. Celui-ci a tout loisir d'admirer la croupe de sa petite chatte. Cette position permet à la femme de masser généreusement le scrotum de son jules et de lui pétrir les testicules.

L'HOMME DERRIÈRE LA FEMME

Excitantes parce que bestiales, ces positions permettent d'éprouver des sensations animales très variées.

La levrette

La femme à quatre pattes, l'homme agenouillé derrière elle la pénètre sauvagement. Ce dernier peut placer son buste sur celui de sa partenaire ou rester le dos droit. Dans le premier cas, il peut caresser les nichons de sa compagne, son dos, ses épaules, le clitoris. Cette position stimule le point G et le col de l'utérus.

La femme allongée sur le ventre, l'homme allongé sur elle.

Le buste redressé, appuyé sur les avant-bras ou le corps allongé sur le lit. Un travail de cambrure des reins permet une pénétration encore plus profonde de l'engin. L'homme appuyé sur les avant-bras contrôle la profondeur et le rythme de la pénétration.

La femme et l'homme allongés sur le côté.

Cette position dite de la « petite cuillère », très utile pendant la grossesse, pratique et excitante, permet à l'homme de caresser les seins et le clitoris durant la pénétration. La femme, si elle se sent particulièrement cochonne, peut exagérément tendre les fesses vers le vit de son jules afin de le rendre fou de désir. Au choix, celui-ci pourra alterner pénétrations anales et vaginales comblant l'un après l'autre les orifices de sa compagne. L'un et l'autre peuvent contrôler le rythme et la rapidité de la pénétration.

L'homme assis, jambes allongées, la femme assise en lui tournant le dos, les jambes pliées au-dessus de lui.

La femme prend appui sur ses pieds pour aller et venir sur la verge, tandis que l'homme la maintient par les cuisses ou par la taille et guide le mouvement.

PÉNÉTRATION ET MASTURBATION DU POINT G

Certaines positions comme celle où l'homme est sur la femme (position du missionnaire) ne facilitent pas la masturbation du point G. Les zones sensibles à l'avant du vagin se trouvent plus stimulées si l'homme est derrière la femme ou si la femme chevauche l'homme (et bien d'autres positions encore, au couple d'essayer et de trouver celles qui lui conviennent) :
• Femme en position sur le dos, au bord du lit, cuisses fléchies et jambes en l'air ; le partenaire est à genoux,

la pénétration à 90° permet d'atteindre le point G situé à 6 centimètres environ.

• La position d'Andromaque : la femme en position supérieure se penche en arrière entre les cuisses de son partenaire pour mieux ajuster son point G au pénis.

Variantes

Coït intercrural. L'insertion du pénis entre les cuisses du ou de la partenaire représente une alternative au coït anal et vaginal pour éviter les déflorations ou les grossesses. Il existe plusieurs positions pour un coït intercrural. Debout, l'actif se place derrière le passif et introduit son sexe entre les cuisses. On peut également s'asseoir sur les genoux de l'actif. Il s'agit en fait de former avec ses cuisses une petite cavité qui servira d'orifice artificiel.

Coït intermammaire, poétiquement appelée « cravate de notaire » ou encore « Napoléon sur les remparts », consiste à se masturber le phallus entre les seins généreux d'une femme et d'éjaculer sur son cou. La femme n'est pas passive puisqu'elle peut, de ses mains, accentuer la pression de ses seins sur le sexe tout en léchant le gland turgescent de son amant. Certaines femmes, trop peu pourvues, ne permettent pas ce genre de jeu. Les fesses peuvent alors servir de substitut.

Double pénétration. Lorsque deux pénis sont introduits dans le vagin et l'anus, on parle de double pénétration. La femme est alors pénétrée simultanément par coït et sodomie. Cela demande une certaine souplesse et d'avoir un homme en plus sous la main (ou un instrument)...

Pour éviter toute routine, ayez recours à la nouveauté. Ne faites pas l'amour que dans votre chambre, mais utilisez toute la maison et puis même, les endroits extérieurs : ascenseur, voiture, bureau, square, bois, chez vos amis, à l'hôtel.

3.anus Dei

On ne vous en parle quasiment jamais, on a tort. Les hommes ont un organe sexuel méconnu : l'anus.

L'anus et le rectum sont des zones érogènes formidables qu'il est regrettable de ne pas exploiter. L'anus est une zone érogène extrêmement riche en terminaisons nerveuses. Les sensations qu'elle procure, par effleurement, léchage, pénétration ou encore massage de la prostate sont fortes et intenses. Même pour certains gays, le sexe anal reste encore un tabou. Certains l'adorent, d'autres le rejettent. L'arrivée du sida dans les années 80 et la révélation de la sodomie sans capote comme pratique la plus risquée jetèrent sur elle le discrédit. L'anulingus est également source de nombreuses infections bactériennes. Pour éviter les risques de transmission de MST et de sida, on peut avoir recours à un petit film de plastique appelé digue dentaire ou du film plastique alimentaire (le même que vous utilisez pour mettre vos fromages au frigo). Ce plastique n'est pas toujours ragoûtant ni excitant. Il ne faut jamais forcer un homme à faire ou recevoir un tel acte et respecter ses limites. Même pour certains gays uniquement actifs, l'anulingus et encore plus la fellation sont gênantes. Pour eux, s'occuper de leur anus les remet en question, ils considèrent que cela oblitère leur virilité. Pourtant, il ne devrait y avoir aucune honte à se faire lécher l'anus par sa femme, voire se faire doigter, goder, ou encore fister. Un travail mental devrait donc se focaliser sur cette région du corps afin de se libérer de siècles d'asservissements hétérosexistes. Car il prive l'homme de nombreux plaisirs : ceux que lui procurent l'anus et la passivité. On peut être un « homme, un vrai » et adorer se faire brouter le cul, voire goder.

Anulingus

L'annulinctus ou anulingus est la caresse de l'anus avec la bouche et la langue. Il est souvent un préambule à la sodomie.

La propreté

Propre ou nature, à chacun de choisir son parfum. L'anus « nature » prêt peut exhaler toutes ses phéromones et vous rendre hystérique de désir. Si, au contraire – ce qui est le plus fréquent – les odeurs vous gênent, demandez à votre ami de se laver le popotin, ou bien lavez-le vous-même minutieusement en insistant bien sur la rondelle.

ANULINGUS MODE D'EMPLOI

Le sexe anal met en branle des zones très intimes. Il allie le goût, les odeurs et les sentiments. Pour savoir ce que votre partenaire ressent, il faut en parler et, pour cela, se décomplexer du logos. Il est préférable d'échauffer et d'attendrir la viande au préalable. On commence donc par léchouiller, embrasser l'entrecuisse, caresser, effleurer. Lorsque votre homme est bien chaud, qu'il commence à gémir, voire à hurler, vous gifler et vous griffer, il est temps de passer aux choses sérieuses. N'hésitez pas à alterner léchouilles, massage de la rondelle et tutti quanti : ça va le rendre hystérique.

« Ne pas avoir sa langue dans sa poche. » La langue devient alors une sorte de pénis miniature, beaucoup plus agile et mobile que ce machin un peu raide. La bouche et la langue pouvant créer des sensations inégalables. Laissez libre cours à votre imagination et donnez à votre langue le plus beau terrain de jeu au monde. Allongez-la, et placez-la malicieusement sur l'anus. Faites-la bouger d'un simple mouvement de haut en bas et de gauche à droite de l'anus. Vous pouvez également doigter votre mec et commencer à opérer un mouvement de va-et-vient à l'intérieur du bac à sable. Fourrez ensuite votre langue à l'intérieur de l'anus, aspirez, suçotez, mangez.

POSITIONS POUR L'ANULINGUS

Il existe de nombreuses variétés de positions pour l'anulingus. Allongez-vous confortablement sur le côté, la tête entre ses cuisses... Qu'il s'ouvre devant vous en plaçant ses jambes sur vos épaules. Ou encore, assis sur le rebord du lit et vous à ses pieds. Le célèbre 69, tête-bêche (les partenaires l'un sur l'autre) comblera les deux personnes. Les sensations sont ici doubles, celles du donneur et celles du receveur, le tout provoquant un état d'excitation maximal débouchant souvent sur l'envie de prendre ou de se faire prendre. Le mec assis sur une chaise, les cuisses écartées, ou encore allongé sur un lit. Il est ainsi bien détendu, ses mains sont libres pour se masturber. Dans une autre position très répandue, le mec est accroupi sur le visage de sa partenaire. Il peut ainsi remuer son bassin, votre langue servant de « broute-cul ».

Pour faire monter le désir, on caressera longtemps les cuisses et les aines. On massera également la queue et les couilles, osant de légers pincements ou mordillements.

Toucher rectal et massages prostatiques

Certaines personnes ignorent encore le rôle de la prostate, organe spécifiquement masculin, ainsi que les délices que procure son massage, qu'il soit effectué par un doigt ou un gode. Pourtant, cette glande est bien chez les hommes l'équivalent du point G chez la femme, certains mecs arrivant même à l'éjaculation par sa seule stimulation. De fait, les femmes sont privées de cette jouissance et ne peuvent donc pas totalement ressentir et comprendre le plaisir et la jouissance d'un homme à se faire doigter. Sa manipulation interne peut provoquer tout à la fois l'écoulement de quelques gouttes de liquide séminal, une éjaculation ou un réflexe urinaire. Lorsque la stimulation de la prostate provoque une éjaculation, le liquide tend plutôt à couler qu'à gicler mais la quantité est sensiblement la même.

La prostate est une glande située en dessous de la vessie. Elle sert à fabriquer le liquide séminal qui permet de nourrir et véhiculer les spermatozoïdes. Schématiquement, la prostate est composée de deux parties : la capsule ou « coque » prostatique et la glande proprement dite. Les hommes, en souvenir de touchers rectaux médicaux, associent encore souvent leur prostate à des sensations désagréables. À ceci, s'ajoute une répulsion pour les fèces et l'anus.

ANATOMIE DE LA PROSTATE

Cette glande sexuelle a la forme d'une châtaigne. Elle est située sous la vessie et entoure la base de l'urètre. Elle est grise, élastique, lisse, mesure 3 cm de haut, 4 cm de large et 2,5 cm d'épaisseur. Elle se sent habituellement comme un petit dôme. La prostate est entourée des petites glandes de Cooper. Légèrement plus haut se trouve la vessie. Ses dimensions varient avec l'âge ; et un excès de cette augmentation de volume peut diminuer le calibre de l'urètre et gêner la miction : c'est l'adénomie de la prostate. Cette glande produit le liquide spermatique qui augmente la fluidité du sperme et sert de tampon à l'acidité vaginale lors du coït, permettant la survie des spermatozoïdes. Sa stimulation provoque ou intensifie l'orgasme. On peut stimuler la glande de prostate avec un ou deux doigts avancés de quelques centimètres à l'intérieur de l'anus en appuyant vers le pénis. Ce qui laisse l'autre main libre pour masturber le pénis lui-même.

Au premier abord, la sensation provoquée par son massage peut être désagréable voire douloureuse. À terme, les sensations peuvent s'avérer très agréables. Il s'agit, surtout au début de la stimulation, que l'homme ne soit pas tendue et qu'il appréhende pas ce jeu. Un malaxage de la zone de la glande produit des sensations à la fois nouvelles et excitantes : tant émotionnellement que physiologiquement, elles sont bien différentes de celles qui accompagnent normalement la stimulation du gland. La différence est comparable à celle qui, chez la femme, sépare la stimulation du point G ou du clitoris.

Pour masturber la prostate de votre jules, mettez le d'abord sur le dos, relaxez-le et mettez-le en confiance et hop ! Opérez une enivrante fellation et léchouillez l'entrecuisse afin d'attendrir la viande. Ensuite, délicatement, introduisez votre index généreusement lubrifié, l'extrémité pointant vers le haut en direction de la queue. Vous rencontrerez une petite excroissance : vous y êtes. Appuyez doucement dessus, restez attentif aux signes de votre amant. La sensation qu'il ressent est curieuse : mélangeant souvent douleur et plaisir, réflexe éjaculatoire ou urinaire. La nouveauté de ce plaisir est souvent déroutante, oulala !!! Alors rassurez votre partenaire, prenez votre temps et soyez douce. Jouez avec sa prostate, faites des cercles concentriques dessus avec votre ou vos doigts. Variez les pressions, de la plus douce à la plus forte. Là encore, tout dépend des réactions de votre mec. Certains acceptent des pressions puissantes tandis que d'autres ne tolèrent que de simples effleurements. Avec la pratique, les jeux peuvent évoluer. Et, avec un peu de chance et de doigté, vous arriverez peut-être à le faire éjaculer.

Comment utiliser un gode ?

Un godemiché est un pénis artificiel, comme tout objet en forme de bite pouvant être introduit dans la bouche, le vagin et l'anus. Latex, caoutchouc, cuir, bois, métal ou ivoire en sont les matériaux principaux. On en trouve de tout genre et de toutes dimensions dans les sex-shops. Du gode en forme de poing pour le fist-fucking au pénis artificiel de chien avec poil véritable en passant par le gode électrique... Certains modèles sont gonflables à l'aide d'une poire pour permettre les dilatations progressives. D'autres sont dotés de courroies permettant d'être fixées aux hanches. D'autres encore sont équipés d'un petit réservoir permettant d'accueillir un liquide proche du sperme pour simuler l'éjaculation. Le lait concentré sucré en tube est un très bon substitut au sperme, goûteux qui plus est. On rencontre également des godemichés doubles, à deux glands, permettant la pénétration de deux partenaires. Certains modèles sont conçus pour la double pénétration d'une femme et présentent sur le même axe deux pénis, servant à la pénétration vaginale et anale. Le triumvirat comporte lui trois excroissances permettant de stimuler le vagin, l'anus et le clitoris. Les néo-godes aux couleurs criardes ou pastels ont des formes extrêmement sophistiquées. Il en existe d'autres avec une ventouse permettant de les fixer au sol ou au mur et de se branler en solo.

Godemichés mode d'emploi

Un gode peut s'avérer être un partenaire orgasmique de premier ordre. Les mouvements de va-et-vient, la rigidité sans faille ainsi que la taille peuvent envoyer au septième ciel beaucoup plus rapidement qu'une queue. Les godes sont des jouets sexuels simples et sûrs pour les personnes qui veulent explorer leur anus.

**Apprenez à régler la bonne intensité des mou-
vements**. Trop violents ils pourraient irriter, trop doux
vous ennuyer. La capacité de décontracter son rectum
est essentiel au plaisir des godes. N'ayez jamais de
gestes brusques, vous risqueriez d'endommager la
paroi anale. L'idéal, comme dans beaucoup de pratiques sexuelles, est d'abord d'expérimenter sur soi un
gode avant d'en faire profiter son amant. Il est essentiel
d'utiliser un lubrifiant chaque fois que des godes sont
insérés. L'anus n'étant pas très profond et fermé par la
barrière sygmoïde, il convient de ne pas trop vite enfon-
cer les objets anaux. Le partenaire réceptif doit se
décontracter au maximum. Utilisez du lubrifiant sans
modération. Au début surtout, on ira très lentement.
Par la suite, on accélérera la cadence. Comme toujours, restez attentive à votre partenaire et suivez ses
indications. N'hésitez pas à modifier l'angle d'insertion
du gode pour mieux connaître l'anatomie interne de
votre partenaire. Avec la pratique, on peut utiliser des
godes de plus en plus gros et longs.

Variantes. On peut introduire toutes sortes d'objets
dans l'anus ou le vagin. Toutefois, certains peuvent se
révéler très dangereux parce que coupants ou alors
difficiles à retirer. Dans certains cas, seule une opéra-
tion avec ouverture du ventre permettra l'extraction de
l'objet. Il est donc capital de faire très attention. Il peut
s'agir également de nourriture ou de liquide : bière,
champagne, urine, chocolat ou banane, tomate, œuf
dur, saucisson. Le choix, quoi ! On peut préalablement
placer ces aliments au congélateur. Ainsi, un

concombre réfrigéré deviendra un objet de premier choix et « pas cher ».

Et lui, comment doit-il jouer avec votre petit cul ?

Maintenant que vous avez fait jouir monsieur d'une manière qu'il n'aurait jamais osé soupçonner, c'est à lui de démontrer qu'il sait jouer aussi avec votre charmant petit cul. Voici donc encore quelques conseils à lui glisser à l'oreille. Qu'il nous fasse confiance, la sodomie, c'est notre passe-temps favori ! Qui, mieux qu'un gay pourrait lui donner des conseils pour vous pénétrer sans douleur et vous faire atteindre un plaisir intense ? De toute façon, s'il ne veut rien entendre, virez-le !

La sodomie est une pratique sexuelle où la verge en érection est introduite dans l'anus. L'anus est richement innervé et constitue une zone érogène importante dans la sexualité. Généralement plus serré qu'un vagin, le rectum embrasse et serre globalement le phallus.

Une sodomie bien préparée ne devrait pas (ou peu) être douloureuse. Pour cela, il faut être patient et user de lubrifiant. Le rectum est un muscle qui peut s'élargir. Il est vrai que les premières sodomies peuvent être douloureuses. La cause de ces douleurs est physiologique mais aussi psychologique. La pénétration doit donc être très délicate. Le sphincter anal ayant pour réflexe de se refermer à toute tentative d'intromission, il faut le détendre petit à petit par des caresses, un lubrifiant hydrosoluble (non gras) qui permettra d'éviter irritations et rupture du préservatif. Les caresses de l'anus et l'introduction d'un doigt ou deux doigts pourront précéder la pénétration de la verge. Le sphincter s'habituant à se détendre, le coït anal par ses mouvements de va-et-vient peut être source de plaisirs intenses et d'orgasmes.

Sodomie chez la femme et chez l'homme

La sodomie d'une femme ou d'un homme ne présente pas les mêmes enjeux. Pour une femme, la sodomie ne remet pas en cause la distinction habituelle des sexes et sa réceptivité aux hommes. Par contre, la sodomie masculine bouleverse le rôle et le genre masculin. La sodomie masculine peut concerner deux personnes du même sexe ou bien un homme et une femme utilisant un godemiché-ceinture. Lors d'une sodomie, le mâle est pénétré, réceptif, passif, contrevenant au rôle qui lui est généralement imparti, c'est-à-dire celui d'être un homme pénétrant et actif. Dans le cas d'une sodomie masculine, l'homme se retrouve dans le rôle réservé d'habitude aux femmes (le passif-pénétré) et non dans celui qui lui est imposé par son statut (l'actif-pénétrant). N'oublions pas que dans la plupart des cultures, l'insulte extrême est « pédé » ou « enculé ». Un travail psychologique d'acceptation de cette pratique doit donc être mis en œuvre.

LA PREMIÈRE SODOMIE

Le garçon vierge connaît déjà son pénis en érection, il a généralement fait l'expérience du plaisir par la masturbation. Il sait que la sodomie n'apportera aucune modification anatomique à son pénis et il ne redoute pas, comme pour les filles, la pénétration d'un corps étranger dans le sien. Il s'alarme plutôt de son manque d'expérience, redoute de ne pas savoir comment agir ou que sa partenaire se moque de lui. La femme et l'homme réceptifs peuvent avoir peur de la gêne et de la douleur provoquée par la pénétration d'un corps étranger. Ils peuvent également trouver cette pratique dégradante. Le libre choix et l'envie se doivent d'être respectés par les deux partenaires. La peur lors des premiers rapports peut donc provoquer un blocage psychologique et une contraction des sphincters qui empêchent parfois le pénis de pénétrer ou provoquent une forte douleur. Il est donc nécessaire d'instaurer un climat de confiance avec son ou sa partenaire, de le (la) désirer voire de l'aimer. Une première sodomie ratée peut entraîner des blocages plus ou moins irréversibles et être traumatisante.

SODO MODE D'EMPLOI

Il est souvent nécessaire de se sentir en harmonie totale avec sa partenaire. La femme pourra se détendre dans un bon bain chaud et demander un massage relaxant du corps. Les muscles du sphincter ne laisseront passer facilement un sexe ou tout autre objet que si vous vous détendez et prenez votre temps. N'introduisez donc jamais trop rapidement votre sexe ou un godemiché. Il est conseillé également de faire un lavement avant toute sodomie.

Des préliminaires longs, relaxants et excitants. Il faut avant tout respecter son corps et le corps de son partenaire ; désirer son sexe et avoir envie de le recevoir. Un long anulingus, un toucher rectal pourront préparer le terrain. Utilisez sans modération du lubrifiant non gras. Il est indispensable pour une bonne dilatation et il évite la rupture du préservatif ainsi que l'échauffement des muqueuses. L'homme va doigter le rectum d'abord avec l'index. Il prendra du temps afin d'élargir graduellement la personne pénétrée. Il ne faut jamais forcer. L'homme introduit ensuite un deuxième doigt afin de préparer au mieux l'entrée du gland. Le partenaire pénétré peut être masturbé ou se masturber. L'anus et le rectum ne produisent pas de lubrification naturelle comme le vagin et il ne présente pas, au départ, l'élasticité de la bouche ou du vagin. C'est pourquoi le sexe anal doit être pratiqué avec attention. Profonde ou non, la sodomie doit se régler aux désirs des deux partenaires.

L'homme introduit ensuite le gland et joue contre le rectum, dans le but de se faire désirer. La taille du sexe et la forme du gland influenceront le déroulement de la sodomie. Plus le pénis est gros, ferme et dur, plus le pénétrant devra faire preuve de patience et d'amour. L'intromission du gland est la partie la plus délicate. La personne pénétrée doit se relaxer et détendre son rectum. Le gland doit s'introduire très lentement. Elle peut elle-même s'empaler sur le phallus et régler ainsi la vitesse de pénétration. Il est important de laisser les corps s'ajuster et l'ampoule rectale se dilater avec le temps. Une fois le gland rentré, l'actif reste quelques instants dans cette position. Le rectum pouvant s'élargir, il se détend avec le temps et permet au sexe de rentrer entièrement. Si la personne pénétrée a mal, l'actif ressort très doucement et remet du gel. Il caresse la croupe et avance ensuite très doucement d'un ou deux centimètres. Rentrer d'un coup sec peut en effet provoquer une grande douleur et des saignements. Le partenaire actif commence ensuite de très doux mouvement de va-et-vient et laisse jouer sa partenaire avec son sexe. Il avance centimètre après centimètre dans le rectum. Si cela ne fait pas trop mal, il avance encore jusqu'à la garde (la base du sexe). Suivant la longueur du sexe, il peut ou non entrer complètement les premières fois. Dès que l'anus est bien ouvert et que le plaisir remplace la douleur, suivent des mouvements plus ou moins prononcés. Les très longs sexes permettent par la suite de pénétrer les sphincters internes. Leur franchissement doit là encore être graduel.

Le rythme. Un rythme endiablé n'est pas forcément synonyme de plaisir. Là encore, tous les goûts sont dans la nature d'où l'importance de demeurer attentif aux expressions de son partenaire et d'en parler. Il est souvent apprécié d'alterner cadence rapide et lente, arrêt momentané, entrée et sortie.

La contraction-décontraction des muscles fessiers autour du pénis est un exercice très stimulant et excitant. Les deux partenaires ressentent plus fortement le sexe compressé ainsi que la pénétration. Attention, le pénis ainsi massé peut alors éjaculer plus rapidement. Le couple ne bouge pas, seul les muscles anaux se contractent. Ce procédé demande une bonne maîtrise de son corps. Inversement, l'homme peut contracter les muscles de son pubis pour abaisser ou relever la verge, ce qui réclame une tonicité plus grande. Pour lui, la pénétration peu profonde permet la stimulation constante du gland et du frein par la contraction des muscles rectaux.

PRINCIPALES POSITIONS POUR LA SODOMIE

Une position peut se révéler plus stimulante que d'autres pour des raisons autres que physiologiques. Certaines personnes préfèrent être face à leur amant(e) pour mieux le (la) regarder et s'exprimer. D'autres apprécient des sensations plus bestiales, à quatre pattes, le pénétrant se positionnant derrière. La cambrure du dos du partenaire pénétré ainsi que celle du pénétrant est capitale pour le plaisir car elle permet de varier l'angle d'insertion de la verge. Lors d'une sodomie, l'actif pourra également stimuler le clitoris ou le pénis de sa ou son partenaire. Certaines femmes ne peuvent parvenir à l'orgasme que par la stimulation clitoridienne, même lors d'une pénétration tandis que quelques hommes ne pourront apprécier la pénétration que lorsqu'il se trouvent en érection et se masturbent.

L'une des meilleures positions pour s'initier à la sodomie est à quatre pattes. Derrière, sur les genoux, l'homme tient les hanches de sa partenaire permettant aux fesses d'être bien écartées et facilitant ainsi la pénétration. On prendra bien garde à ne pas pénétrer trop rapidement.

Les autres positions :

• **Le « chien de fusil » :** les partenaires sont allongés sur le côté l'un contre l'autre. Cette position empêche le pénétrant d'aller trop rapidement et permet le contrôle, par le passif, de la pénétration.

• **La variation de la position du missionnaire :** le passif s'étend sur le dos tandis que l'actif s'allonge dessus. C'est une position particulièrement intime, où les deux partenaires se font face mais qui peut être douloureuse au départ. Elle facilite l'insertion de la verge. Cette posture permet également aux deux protagonistes de se regarder droit dans les yeux et, éventuellement, de s'embrasser autant qu'ils le désirent. Si le ou la pénétré(e) le souhaite, il peut lever encore plus haut les jambes, et entourer le dos de son partenaire, ce qui permet une pénétration encore plus profonde.

• **La personne pénétrée sur le pénétrant :** elle entoure la taille de son partenaire avec ses jambes, les cuisses bien écartées, jambes pliées. Cette position est idéale pour guider le sexe et pour faciliter l'entrée dans le rectum. La pénétrée peut également positionner ses pieds ou ses mollets sur les épaules de son partenaire, les cuisses ramenées sur la poitrine permettent alors une pénétration maximale.

• **Le pénétrant allongé sur le dos de la personne pénétrée :** l'actif peut écarter légèrement ses jambes tendues ou les fesses de son partenaire pour une pénétration plus profonde.

4.les jeux de l'amour

Les jouets sexuels pas chers

Il n'est pas impératif, je le répète, de casser le cul de son petit cochon rose (votre tirelire, pas votre mec) pour amasser un matos digne d'une cybercochonne de l'espace qui se respecte. Voici quelques conseils pour vous constituer une ludothèque au meilleur prix.

Certains jeux sexuels, SM ou pas, se passent de tout matériel. D'autres, au contraire, demandent un nombre d'accessoires important. Les sex-shops traditionnels sont chers. Il n'est pas rare de trouver des godes et autres harnais à plus de 100 euros, sans parler des vêtements de cuir ou de latex qui peuvent atteindre les 300 à 450 euros. Pourtant, de nombreuses boutiques tout ce qu'il y a de plus *straight* proposent des objets faciles à détourner de leur fonction originelle. On peut ainsi se constituer une ludothèque SM à petit prix : magasins de pêche, quincaillerie, matériel médical, farces et attrapes, location de déguisements, pharmacies, armureries, boutiques d'animaux, etc.

MAGASINS DE BRICOLAGE

Vaquez dans les rayons de votre magasin de bricolage. Laissez libre cours à votre imagination. Vous y trouverez des plastiques, Scotch (pour momifier votre partenaire), chaînes, lacets et bandes de cuir, plumes (très turlututu), entonnoirs (pour gaver votre dinde), produits de nettoyage de vinyle. Mais aussi des pinces à linge, pinces à dessins (à des seins, comme son nom l'indique) ; boîtes en plastique (pour conserver bien proprement tous vos joujoux quand votre maman vous rend visite), toiles goudronnées, chambres à air, papier de verre, vis, agrafes, etc. Mais également des anneaux de métal ou de caoutchouc pouvant faire office de cockrings.

MAGASINS DE PÊCHE

Vous y prendrez des hameçons (pour pêcher des bites à la ligne), des tiges de fibre de verre, agrafes, poids (pour les seins, les couilles ou tout autre piercing permanent ou temporaire).

FARCES ET ATTRAPES

Pour faire des plans panpan cucul à la Dario Argento, rien ne vaut les shops de farces et attrapes et autre location de déguisement : faux sang, faux couteaux, dents de vampires, poil à gratter. Mais aussi, costumes de soubrettes (« allez, astique, salope ! »), de docteur (« c'est pour un toucher prostatique, m'sieur »), de policier, et patati et patata.

PHARMA'CHIENNES

Les officines de ville, en dehors de nous délivrer nos trithérapies, sont aussi des lieux de stupres incontournables : Menthol – ça va chauffer Marcel – pour enduire la bite ou le troufignon, masque de sommeil et boules Quiès (pour la privation sensorielle) ; embouts de douches et lavements pour se laver le popotin avant des trips spéléologiques, bandages à momification… Mais aussi de l'aspirine pour la tête dans le cul et l'arnica pour résorber les bleus. Et puis, bien sûr, les désinfectants pour nettoyer ses sextoys et le matériel de premiers secours. Le BHV médical en plein cœur du Marais est une vraie caverne d'Ali Baba pour tous les pervers polymorphes : cathéters, matériel de lavement, spéculums, scalpels, forceps, latex, aiguilles, désinfectants, sondes urinaires... Pour les folles techno, on peut même y trouver des sièges gynécologiques et autres produits sophistiqués mais onéreux. On peut toutefois trouver ce matos en chinant aux puces.

FOOD TOYS

Au lieu de vous ruiner dans le dernier gode realistic à 100 euros, demandez donc conseil à votre épicier sur le choix approprié d'un large et long concombre boudiné. Les plus raffinés pourront préalablement placer celui-ci au congélateur avant de s'en remplir la sorbetière. Pour les toutes gourmandes, on conseillera également les courgettes violacées dont la couleur n'est pas sans rappeler celle de certains glands turgescents. On pourra aussi jouer à des jeux de nourriture et d'insertion anale avec de la crème Chantilly, au marron ou au chocolat (idéal pour les plans pipi-caca symboliques). Enfin, tout ce qui se mange et qu'on peut utiliser dans un plan cu-linaire.

ANIMALERIES

Vous y trouverez tout pour votre toutou à deux pattes et longue queue : colliers, colliers étrangleurs, niche trois étoiles, muselière, laisses, cages, forceps, aiguilles stériles, articles de contrainte. Mais aussi de quoi nourrir votre gourmand mari dans une belle écuelle (« chouchou, à table ! ») ; des boîtes d'alimentation pour chien ou croquettes (« ton Canigou est servi, chéri »). C'est au maître de choisir ! Sachez toutefois qu'un bon esclave élevé à la pâtée pour chien aura beaucoup de mal par la suite à se mettre aux croquettes, si, si.

Articles de beauté : élastiques, agrafes et attaches.
Armureries : menottes, fers à pied, mailles de fer, uniformes et bottes.
Magasins de musique : baguettes de tambour, tambourins, etc.
Agriculture : clôtures électriques douces.
Cordonneries : semelles en caoutchouc et cuir (fessées), lacets.
Maritime : cordes, treuils, poulies.
Cuisine : spatules, éponges, cuillères en bois.
Équitation : cravaches, harnais, brides pour votre grand dada, etc.
Magasins bon marché : cuir, fourrure, ceintures en cuir ; vêtements peu chers donc déchirables et jetables.

Quelques fantasmes masculins

Les hommes pensent au sexe en moyenne une fois toutes les dix minutes. Les gays ont fait descendre cette moyenne en y pensant toutes les huit minutes. L'imaginaire érotique masculin est infini, comme le vôtre, ma belle. La plupart des situations dont rêvent les hommes sont irréalistes ou difficilement réalisables, compliqués en tout cas.
Cela s'appelle des fantasmes. Nous allons en observer quelques-uns parmi les plus fréquents. À vous de savoir dans quelle mesure vous désirerez aider votre ami à les réaliser. À vous surtout de savoir quel fantasme vous avez en commun...

Un fantasme est une représentation mentale plus ou moins imagée. Il sert à enrichir la vie sexuelle, à accroître et à prolonger le désir et l'excitation, à atteindre l'orgasme, à compenser des manques, à pimenter notre vie quotidienne... Les fantasmes sont tout à fait naturels. Ils apparaissent le plus souvent au moment de la puberté et sont souvent liés aux premières expériences de masturbation. Fantasmer est signe d'équilibre psycho-affectif et érotique.

Il est utile de parler de ses fantasmes à son partenaire. Toutefois, il est judicieux de prendre quelques précautions afin de ne point le choquer. Le couple peut être déstabilisé par trop de confidences. Cela demande une grande liberté de parole. Qui plus est, il n'est pas toujours positif de réaliser tous ces fantasmes. Ils peuvent être source de déception. C'est à chacun, en son âme et conscience, de savoir ce qu'il désire vraiment. On peut très bien avoir recours à des lectures érotiques ou pornographiques pour élaborer de nouveaux scénarii érotiques, sans pour autant parler de ses fantasmes propres.

LE FÉTICHISME

Il s'agit d'un attachement qui peut devenir obsessionnel à des objets associés au plaisir. On classe les fétiches en 5 catégories :
• une partie du corps (seins, cheveux, mains, pieds).
• une particularité physique (loucher, être enceinte, amputé).
• un objet ou une matière (sous-vêtement, chaussures, gants).
• une action (faire sa toilette intime, uriner).
• une attitude psychique (soumission, domination).
Nous sommes tous plus ou moins fétichistes, sous des formes minimales ou excessives. Cela participe à notre rituel érotique et joue le rôle d'aphrodisiaque psychique. Le fétichisme devient anormal et pathogène lorsqu'il empêche la personne d'avoir des rapports sexuels en dehors de ce fétiche.
Même s'il existe chez les femmes, le fétichisme est, d'après les sexologues, plus répandu chez les hommes. Le fétichiste touche l'objet, le caresse, le manie afin de satisfaire ses cinq sens. Bien souvent,

les fétiches sont des objets se rapportant à l'univers de l'enfance ou à celui de la « virilité », comme l'armée par exemple. Il sont fréquemment doux et évoquent l'affection. Brenda B. Love dans le *Dictionnaire des fantasmes et perversions* (Blanche, 2000) explique que le choix du fétiche remonte à l'enfance. Il provient de l'éducation, de divers conditionnements. Le fétichisme apparaît dans les sociétés où la répression sexuelle est la plus forte, dans laquelle le sexe est assimilé à une faute ou à un péché. Il peut évoluer. Un individu excité par les cheveux commencera par fantasmer à propos de ce fétiche. Il se masturbera en y pensant. Plus tard, il voudra voir les cheveux, obtenir le peigne ou la brosse d'une femme au point d'en dérober les accessoires pour, à loisir, les humer, toucher, s'en servir à des fins d'autoérotisme, etc. Ensuite, la fixation peut se déplacer. Le fétichiste, muni de ciseaux, coupera les cheveux de femmes non-consentantes.

L'objet fétiche est presque toujours utilisé pendant la masturbation et entre en jeu pendant les activités sexuelles avec un partenaire, afin de susciter l'excitation. Il est courant qu'un fétichiste demande ou préfère un objet appartenant à son partenaire. L'objet est préféré à la personne à qui il appartient parce qu'il est « sûr », silencieux, coopératif et inerte.

Oui si...
La question que vous devez vous poser serait du genre : ai-je vraiment envie que l'on jouisse davantage avec les talons de mes bottines qu'avec mon joli corps parfait ?

VOYEURISME

Un voyeur est une personne qui atteint la satisfaction sexuelle en regardant d'autres personnes faire l'amour, ou en les observant à la dérobée lorsqu'ils se déshabillent ou sont nus. Le voyeurisme se rencontre souvent chez des hommes jeunes et semble diminuer avec l'âge mur. D'après Master et Johnson, « les voyeurs ont souvent beaucoup de mal à établir des relations hétérosexuelles, et beaucoup d'entre eux n'ont que peu d'expériences hétérosexuelles. En fait, être voyeur permet à un homme d'éviter les contacts sociaux et sexuels avec les femmes ; beaucoup de voyeurs ont pour unique activité sexuelle la masturbation pendant qu'ils observent les autres, ou pendant leurs fantasmes sur leur expérience de voyeurisme ». En général, les voyeurs fantasment sur des gens qu'ils ne connaissent pas. Le risque d'être découvert accroît souvent l'excitation.

Oui si...
Voulez-vous passer l'après-midi avec votre copain, cachés derrières les persiennes à guetter les voisins ? Oui ? Alors, allez-y chère amie....

L'EXHIBITIONNISME

C'est une excitation ressentie en montrant ses parties génitales ou tout autre partie de son corps le plus souvent cachée. C'est une volonté de transgresser les interdits sociaux. L'exhibitionnisme se passe sans l'accord de ceux qui assistent à cet acte. Il existe de nombreuses sortes d'exhibitionnisme répondant à des motivations et des bénéfices spécifiques. L'acte peut être consensuel ou non. De toute façon, il produit une satisfaction de l'ego, un plaisir de la nouveauté, un embarras, une gêne, ce qui permet d'atteindre le haut degré d'excitation nécessaire pour atteindre l'orgasme. Si l'acte de s'exhiber n'est pas assez excitant pour parvenir à un orgasme physique ou psychique, s'il ne permet pas une sécrétion suffisante d'adrénaline, l'exhibitionniste se satisfera par la masturbation ou par un rapport sexuel avec un partenaire, à moins qu'il ne continue jusqu'au résultat souhaité.

Il existe de nombreux cas de figures d'exhibitionnisme. L'image la plus fréquente est celle du « pervers pépère » affublé de son pardessus, le sexe sortant de la braguette. Une autre forme est celle qui consiste à se dévoiler devant des personnes susceptibles d'être fortement choquées : enfants ou bonne sœur. On peut également envoyer des photos à des personnes censées être choquées par de telles images. Les petites annonces illustrées des magazines pornos sont aussi un bon support à l'exhibitionnisme.

Ce fantasme, qui peut être répréhensible par la loi, peut aussi se réaliser en couple ou par procuration : l'homme utilisant sa femme comme objet d'exhibition. Il faut noter que les femmes sont rarement poursuivies pour attentat à la pudeur alors que les hommes subissent de fortes condamnations. Alors que le texte de loi ne fait pas de différence de sexe quant au délit, la jurisprudence montre bien que seuls les hommes sont lourdement condamnés.

Oui si…
Si vous désirez vraiment faire l'amour dans une voiture entourée de mâles en rut qui se masturbent, oui pourquoi pas…

L'ÉCHANGISME

L'échangisme est une pratique sexuelle impliquant
plus de deux personnes et dans laquelle on passe
d'un partenaire à l'autre. Le milieu échangiste a connu
un fort engouement à la fin du xx e siècle. Le nombre
de lieux de rencontres parisiens a triplé dans le courant des années 1990. Autrefois réservés aux personnes d'âges certains et aisées, les échangistes se
recrutent aujourd'hui dans toutes les couches de la
société et même chez les jeunes. L'être humain est
excité lorsqu'il entend ou voit d'autres personnes en
train de faire l'amour. Ces pratiques sont extrêmement
excitantes pour de nombreux individus.
Dans les bars échangistes, les participants se masturbent seuls en voyeurs ou encore font l'amour en
groupe passant d'un partenaire à l'autre. Des salles
plus sombres, souvent aménagées d'un grand mate-
las central servent à ces épanchements collectifs.
D'autres chambres, plus petites, permettent des jeux
plus intimes. Certains lieux sont fort bien équipés,
avec slings (balançoires à *fist-fucking*), croix de saint-
André, glaces sans tain, miroirs et caméras. D'autres
proposent encore des séances d'initiation aux pratiques SM, aux massages ou des leçons de strip-
tease.

Code de bonne conduite
en milieu échangiste :

• Respectez les plans en cours. Parlez à voix basse. Ne vous incrustez pas. Faites les mondanités à l'écart.

• Assurez-vous que vous et votre partenaire êtes bien sur la même longueur d'onde. Respectez les codes et mots d'arrêt du trip.

• Certains n'aiment pas les plans à plusieurs. Attendez d'être invité avant de vous joindre à un groupe.

• Si vous faites des plans sonores ou verbaux, merci de ne pas déranger les autres.

• Informez vos partenaires d'éventuels soucis médicaux.

• Comme à la piscine, ne partagez pas vos microbes et autres IST !

• Ne mobilisez pas les équipements. C'est une bonne idée de nettoyer après votre passage.

• Merci de signaler une pratique dangereuse ou irrespectueuse.

• Merci de discuter à l'écart d'un éventuel désaccord.

• Merci de penser à utiliser capotes, gants et gel : ce matériel est à votre disposition au bar.

Sur les lieux extérieurs, pensez à garder l'endroit propre : ne laissez pas traîner les capotes usagées, ainsi que leurs étuis, les mouchoirs, etc.

Oui si...

SI, et seulement si, vous en avez réellement, absolument envie. Si votre plaisir l'exige, si tout votre corps y est prêt, si vous en rêviez depuis la puberté…

JEUX DE RÔLES

Lors de jeux de rôles, il s'agit, comme au théâtre, de vivre symboliquement un personnage ou une action. Un des jeux de rôles parmi les plus fréquents est le changement de genre, l'homme se déguisant en femme. Les jeux de rôle les plus répandus sont les scènes de régression infantile, d'école, de viol, de confession, médicale ou d'interrogatoire, de prostitution, d'adultère, de meurtre, de vente aux enchères ou de zoophilie. Un autre type de jeu de rôles utilisé lors des séances SM consiste à jouer sur les phobies de son esclave. Ces jeux peuvent être cathartiques, mais ils peuvent également s'avérer dangereux psychologiquement. La négociation au préalable est essentielle pour connaître les motivations de son partenaire. En cas d'angoisse durant le jeu de rôle, il est conseillé de l'arrêter, de câliner la personne et de parler avec elle pour qu'elle s'apaise.

Oui si...
Pourquoi dire non, d'ailleurs ?

FESSÉE ET FLAGELLATION

Certaines zones du corps sont plus sensibles à la douleur. On notera principalement la partie intérieure et inférieure des fesses. Plus l'objet servant à fouetter est fin, plus la douleur est grande. Un instrument large fait donc moins mal. Plus il est lourd, plus il est ressenti profondément dans les chairs. Si le fouetté a tendance à bouger et à ne pas se laisser frapper consciencieusement, il peut être utile de l'entraver solidement voire de le bâillonner afin qu'il reste sage.

Oui si...
Si la vilaine petite fille qui grogne en vous a réellement envie de jouir de son humiliation et de la douleur délicieuse qu'on lui infligera à l'occasion...

LE BONDAGE

Cela consiste à empêcher un partenaire de se déplacer en le liant et l'attachant avec des cordes. Il semble que le bondage permette au cerveau de se relaxer en favorisant l'émission d'ondes alpha, débouchant sur un état de type hypnotique plaisant. Le matériel se compose de cordes, chaînes, cages, harnais, colliers, menottes, baîllons, etc. Certaines *play-rooms*, entièrement équipées, permettent ainsi des jeux très sophistiqués. Les séances de bondage comptent parmi les plus longues des différents jeux sexuels et SM. Elles peuvent durer d'une nuit à quelques jours lors de « stages intensifs ». Ainsi, ils font partie des jeux demandant le plus de préparation. Ils nécessitent une grande énergie physique et mentale. Cette pratique est souvent associée à une recherche esthétique poussée, nœuds et cordes créant des figures géométriques et des positions sophistiquées.

Le bondage permet à celui qui est attaché, grâce à la soumission au désir de l'autre, de se laisser totalement aller, de mettre de côtés ses inhibitions et de diminuer la culpabilité. C'est le moyen idéal pour jouir de son corps sans se sentir responsable, donc coupable, des sensations éprouvées. Ainsi, il permet même dans certains cas de soigner l'impuissance et la frigidité. Chez le mâle, la soumission totale permet de lui éviter d'avoir à prouver sa virilité.

Dans le cas de privations ou de trouble d'un organe sensoriel, les autres sens mettent en place un système de compensation. Ainsi, les aveugles possèdent un sens du toucher hors pair. La compensation sensorielle permet donc de recevoir indirectement une stimulation d'un sens inhibé. La compensation sensorielle est rapide, de l'ordre de quelques minutes. Durant certains jeux érotiques, où les yeux sont bandés, l'ouïe et le toucher vont rapidement prendre le relais de la vue. Le moindre contact provoquera alors une sensation extrêmement intense et disproportionnée. Pour cela il est conseillé d'éviter les stimulations trop fortes au profit de stimuli graduels.

Un autre jeu consiste en la privation sensorielle totale. Ces jeux demandent une grande prudence. En effet, il peuvent s'accompagner de troubles psychologiques consécutifs à la perte de tous repères. Il s'agit alors d'inhiber toutes perceptions en isolant le sujet dans un monde calfeutré, sans bruit ni lumière. La principale conséquence de cette privation est une hypersensibilité au moindre stimulus.

Oui si...
Si vous êtes certaine qu'il vous détachera après et que vous aurez alors l'occasion de le ficeler à son tour...

LE SM

Il nous reste un dernier territoire à explorer. Les conseils ici ne suffisent pas. On ne s'improvise pas amateur de SM juste pour faire plaisir à son grand loup. Mais il n'est pas inutile de se tenir un peu au courant pour – qui sait – le jour venu…

Beaucoup d'entre nous possèdent des caractères sadomasochistes, de manière plus ou moins affirmée ou symbolique. Les formes de sadomasochisme vont du jeu soft et bien contrôlé avec un partenaire consentant, jusqu'au comportement agressif pouvant aboutir à la torture, au viol et au crime sexuel.

Le SM est devenu un phénomène de mode. Bien des fantasmes circulent au sujet du SM et du monde cuir. Pourtant, comme le disent les hardeurs, ces pratiques sont avant tout des expériences librement consenties entre deux ou plusieurs partenaires. Ce plaisir, très « cérébral », n'a rien à voir avec une agression ni un viol, mais relève plutôt de la découverte de sa sexualité. La plaquette de prévention *Hard ok, safe ok* produite par l'Agence française de lutte contre le sida et que j'ai co-écrite avec l'ASMF (association gay sadomaso) en 1992, fixe les règles du jeu : « Nous aimons les relations hard, mais pas la brutalité gratuite. C'est dans le respect de nos partenaires, de leurs désirs, des nôtres et de nous-mêmes que nous vivons cette recherche du plaisir. Il y a des règles et des codes à respecter que nous avons établis : quand l'un dit "stop", l'autre arrête tout ».

Pour les personnes SM, la confiance est donc un préalable qui permet de se laisser aller et de se donner. Le cheminement dans le SM est un peu un parcours initiatique ponctué de pratiques diverses et variées. Pour les hardeurs, il est fascinant de voir qu'on peut aller aussi loin avec sa sexualité. Les SM sont des aventuriers du sexe, qui aiment dépasser leurs limites et les interdits. Cela agrandit leur liberté et, par ricochet, celle des autres. Mais être hard n'empêche pas de continuer à avoir des rapports tout ce qu'il y a de classique.

Oui si...
Vous rêvez de vous transformer en dominatrice d'un soir et que les règles sont parfaitement définies au préalable avec votre partenaire (pour une excellente entrée en matière, lisez *Osez tout savoir sur le SM*, de Gala Fur, dans la même collection).

5.safe sex

Les capotes, nous les gentils garçons, on connaît ! Si vous ne savez pas encore vous y prendre avec ce bout de latex, il faut nous demander.

Capote mode d'emploi

Lorsqu'on a envie d'une bonne bourre, il faut être en érection et sortir la capote. Attention en ouvrant l'emballage ! Les dents et les ongles risquent d'endommager la capote. Une bonne pipe des familles permet généralement d'obtenir une érection généreuse. Il faut agir le plus calmement possible afin d'éviter un quelconque stress ou agacement qui ferait débander à coup sûr. Beaucoup de garçons se plaignent de débander dès qu'on leur place une capote sur la queue. Une goutte de lubrifiant soluble dans l'eau sur le gland permet également d'augmenter le plaisir et de se sentir plus à l'aise dans ses baskets. Il faut ensuite placer le préservatif sur le gland, partie enroulée à l'extérieur, et le dérouler jusqu'à la base du pénis. Si votre partenaire n'est pas circoncis, il faut décalotter (découvrir le gland). Certaines capotes sont munies d'un réservoir à jus (*condom spermarium*). Il est important qu'il n'y ait pas de bulle d'air au bout du préservatif. Sinon, il subirait alors des contraintes excessives à cet endroit lors de l'éjaculation, ce qui risquerait de l'endommager.

Après l'orgasme, il faut retirer la queue pendant qu'elle bande encore. Ceci, en retenant la capote par la base. Il faut ensuite la jeter à la poubelle et non dans la rue.

Manuel ludique du savoir-vivre safe

1 : avoir un phallus sous la main (celui d'un ou de plusieurs partenaires, un gode ou une quelconque cucurbitacée). Cela paraît évident mais bon...

2 : agiter fortement avant usage (le sexe, pas la capote), afin de donner des dimensions décentes (voir indécentes) à l'objet de votre plaisir.

3 : avoir en permanence quelques capotes disponibles en cas de besoin. Si votre partenaire vous surveille, cachez-les ou quittez-le.

4 : conservez vos condoms dans un endroit frais et sec. Inutile pour autant de les enfermer dans le coffre-fort de la BNP ou dans votre cave à vin.

5 : sortir la capote de son emballage individuel sans utiliser d'instruments tranchants (ciseaux, dents) ; se méfier des ongles, des bagues, qui pourraient l'endommager. Refréner vos pulsions libidinales et ne pas déchirer sauvagement l'étui du préso comme vous venez de le faire avec le caleçon de votre partenaire.

6 : ne pas gonfler ou étirer une capote avant usage ni la remplir d'eau pour vérifier qu'elle n'est pas percée ; ce n'est ni une montgolfière ni une baudruche.

7 : mettre en place la capote en la déroulant le long de la verge turgescente. Imaginez que vous offrez une bague à votre Amour et que vous lui placez amoureusement sur son bon gros doigt noueux.

8 : un lubrifiant à base d'eau est indispensable pour les rapports anaux et fortement conseillé lors des rapports vaginaux (pour celle et ceux que cela concerne, tous les goûts sont dans la nature, ah ! ah !). Ne pas utiliser de vaseline, ni le beurre de votre sandwich ni de l'huile Lesieur ou de vidange.

9 : après éjaculation, se retirer avant la détumescence (quand le mec débande quoi !) en maintenant l'ouverture du condom contre la base de la verge.

10 : une fois la capote retirée, ne pas se la mettre à la bouche et ne pas souffler dedans pour voir si elle est trouée : c'est dégoûtant.

11 : ne pas réutiliser une capote, même à l'occasion de rapports sexuels rapprochés (tant mieux pour vous).

12 : laisser reposer l'engin quelques minutes avant de renouveler l'application (les capotes comme les bites s'utilisent sans modération et sont très très bonnes pour la santé).

Les règles du safe sex

Si vous êtes en couple, il est recommandé d'effectuer un test de dépistage du sida et autres MST et d'en refaire un autre quatre semaines plus tard. En effet, le virus n'est détectable qu'un mois après la contamination. Le virus VIH qui provoque le sida entre dans l'organisme par les muqueuses et par le sang. Il se trouve en quantités importantes dans le sperme, le sang et les sécrétions vaginales. La pénétration vaginale ou anale présente un risque fort. Les muqueuses du vagin, mais surtout celles de l'anus sont très fragiles avec des lésions fréquentes et parfois la présence de sang. La seule protection efficace est le préservatif bien utilisé avec un gel à base d'eau. Si vous utilisez des objets pour la pénétration (des godes par exemple), prenez chacun le vôtre ou utilisez un préservatif chaque fois que l'objet est utilisé par un ou une autre partenaire. Si vous pratiquez la pénétration anale puis la pénétration vaginale, changez de préservatif. Le cunnilinctus est à risque limité mis à part lors des règles. Pour l'éliminer, on utilise un carré de latex, un préservatif découpé ou un film Cellophane. Les rapports bouche-sexe présentent un risque faible mais un risque tout de même. Pour éliminer totalement les risques de contamination lors d'une fellation, il est recommandé d'utiliser un préservatif. Sans celui-ci, évitez de jouir ou de vous faire jouir dans la bouche. De nombreux jeux sont totalement sûrs et développent la sensualité et les fantasmes : les caresses, la masturbation réciproque, le massage érotique, s'embrasser, se frotter.

La maîtrise du safer-sex passe par celle du contexte du rapport sexuel, de ses enchaînements, du cumul d'actes sans parler de la nécessaire confiance en son partenaire. Cette maîtrise peut être plus difficile lors de rencontres à partenaires multiples – en boîte échangiste hétéro ou en backrooms gays.

conclusion

Vers une pansexualité

Les représentations et les pratiques sexuelles ont radicalement changé à la fin du siècle dernier. Multipartenariat, apparition au grand jour des « perversions », banalisation de l'homosexualité et de certains jeux (fellation, partouzes, masturbation, SM) sont quelques-unes des conséquences de cette évolution. D'autres changements sont intervenus comme la dévalorisation du mariage (et même du couple stable), de la famille, de la monogamie et de la virginité féminine. De même, on observe la dé-hiérarchisation progressive des genres (masculin-féminin), avec une remise en question des rapports entre hommes et femmes et la reconstruction de la perception des genres masculin-féminin. Les discours féministes sont repris par l'ensemble de la population féminine et touche même les hommes. On assiste en fait à l'émergence d'une nouvelle nature sexuelle basée sur l'analyse critique des notions de genre et de sexe. Femmes et hommes s'envisagent non en tant que mâles ou femelles mais en tant que sujets. Ainsi sont mises à mal les bases idéologiques de l'hétérocratie. La répartition économique, sociale et productive du pouvoir patriarcal est donc ébranlée. Le vagin n'est plus le simple objet du phallus, le pouvoir se féminise, les hiérarchies tombent peu à peu.

Il est aujourd'hui fondamental de revoir les conceptions de la sexualité pour arriver à transformer radicalement les comportements. En premier lieu, on ne peut plus continuer à envisager la sexualité exclusivement d'un point de vue masculin. Il faut arriver à créer un espace physique et psychique pour les sexualités féminines.

Parce qu'il semble improbable d'imaginer qu'une partie importante de la population réduise ses jeux sexuels au seul coït vaginal. Parce qu'il est surprenant de voir que près des deux tiers de la population ne connaisse rien de la masturbation, de la fellation, du cunnilinctus ou de la sodomie. Parce qu'au manque de culture et d'éducation sexuelle des aînés, répond aujourd'hui la plus grande ouverture d'esprit des nouvelles générations : leurs jeux sexuels sont plus variés, plus réciproques et plus fréquents. Parce

qu'il faut aujourd'hui incarner ce mouvement de libération des femmes et des homosexuels impulsé par le
formidable travail des féministes des années 1970.
Parce qu'à l'heure où le Pacs (qui est notamment une
reconnaissance semi-officielle du couple homosexuel)
a été adopté à l'Assemblée nationale et du mariage
gay, de nouvelles formes de couples et d'unions sont
à inventer.

Le but prétendu normal de la sexualité, c'est-à-
dire la reproduction de l'espèce, n'a plus aujourd'hui
la même valeur et la même nécessité qu'aux millé-
naires précédents. De nouvelles voies de procréation-
parentalité sont à explorer. L'apparition de « nouvelles
formes de parenté » (familles monoparentales, homo-
parentales ou recomposées ; insémination artificielle
avec donneur ; mères porteuses ; adoption aujour-
d'hui légale par un adulte isolé, demain peut-être par
un couple d'homosexuels) viennent questionner la
validité des liens plus traditionnels (le mariage), qui ne
sont plus la norme.

**Le sexe est un des derniers espaces de liberté
de l'humain**. C'est dans la sphère sexuelle que se
rejoignent animalité et humanité. La sexualité demeure
souvent un ensemble de pratiques animales. Notre
propos n'est pas ici de vouloir humaniser la sexualité,
bien au contraire. La sexualité est et doit rester le terrain privilégié de nos pulsions et de notre moderne pri-
mitivité. Assurément, avant de « penser » nous
sommes aussi des bêtes. Il s'agit donc pour nous,
humains du troisième millénaire, de savoir que s'il

nous faut penser pour exister (« je pense donc je suis »), nous devons aussi bander pour être (« je bande donc je suis »).

C'est à chacun de poursuivre ce voyage initiatique. C'est à nous tous de poursuivre le chemin et, à notre façon, d'écrire cette Histoire : notre Histoire. Bon voyage.

Remerciements

À Jérôme Marichy et Thierry Pommier

L'auteur tient a remercier tout spécialement Jean-Luc Bouche-rat, Jean-Yves Le Talec et Hélène Delmotte.

Merci au Sneg, Jean-François Chassagne, Bernard Bousset, Olivier Robert, Charles et Antonio, Citegay.com, Patrick de Gayvox.com, Adventice.com, Alain Léobon de Saferboy.net, Jacky Fougeray, Didier Roth Bettoni et Tim Madesclaire de Illico.com et Menstore.com, Eric Séroul et Patrick Rogel de IB News, Didier Fillon et Univers Gym, Bruno de Mic Man et du Croc Man, Box Man, Jack des Follivores, Bernard de l'Amne-sia, Didier du Bar du Palmier, Connexion, Olivier de Nice Télé-matique, Europe Multimédia, David de Rexx, Thirry de Space Hair, Gérard du King Sauna, Sue et le West Side. Merci a Eric, Christian et Emmanuel du sauna le Riad. Merci à tous ceux qui m'ont soutenu dans cette aventure.

Vous pouvez visiter le site d'Erik Rémès
et lui envoyer un mail sur :
www.erikremes.net
erik@erikremes.net

Imprimé en Espagne par Sagrafic
Dépôt légal : avril 2006.
Édition n°2